# FBI教你破解身体语言

白金升级版

◎FBI超级读心术　　职业最佳通行证◎

# LOUDER THAN WORDS

*TAKE YOUR CAREER FROM AVERAGE TO EXCEPTIONAL*
*WITH THE HIDDEN POWER OF NONVERBAL INTELLIGENCE*

【美】乔·纳瓦罗(Joe Navarro)　　东妮·斯艾拉·波茵特(Toni Sciarra Poynter)◎著

于　乐◎译

中华工商联合出版社

**图书在版编目（CIP）数据**

FBI 教你破解身体语言：白金升级版／（美）纳瓦罗，
（美）波茵特著；于乐译．—北京：中华工商联合出
版社，2010
ISBN 978 - 7 - 80249 - 314 - 8

Ⅰ.①F… Ⅱ.①纳…②波… ③于… Ⅲ.①身势语
- 基本知识 Ⅳ.①H026.3

中国版本图书馆 CIP 数据核字（2010）第 095299 号

**北京市版权局著作权合同登记号：图字 01 - 2010 - 2238 号**

**FBI 教你破解身体语言　白金升级版**
**LOUDER THAN WORDS**

作　　者：【美】乔·纳瓦罗（Joe Navarro）　　东妮·斯艾拉·波茵特（Toni Sciarra Poynter）
译　　者：于　乐
责任编辑：刘伟娜　林　立
装帧设计：奇文堂
责任审读：海　鸿
责任印制：迈致红
出版发行：中华工商联合出版社有限责任公司
印　　刷：三河市华丰印刷厂
版　　次：2010 年 7 月第 1 版
印　　次：**2012 年 10 月第 14 次印刷**
开　　本：640mm×960mm　1/16
字　　数：180 千字
印　　张：19.75
书　　号：ISBN 978 - 7 - 80249 - 314 - 8/H · 001
定　　价：32.00 元

服务热线：010 - 58301130
销售热线：010 - 58302813
地址邮编：北京市西城区西环广场 A 座
　　　　　19 - 20 层，100044
**http**：//www. chgslcbs. cn
**E—mail**：cicap1202@ sina. com（营销中心）
**E—mail**：gslzbs@ sina. com（总编室）

# 目　录

# 引　言

让我们一起来设想一下这样的情形：如果有一天你可以洞悉别人的想法、感受或意图；如果有一天你可以对别人的言行产生强大的说服力和影响力；如果有一天你可以不用别人的明示而靠自己看出一场比赛或者竞争的关键点；如果有一天你可以在别人面前淋漓尽致地展现自信、权威和风度，让他们对你刮目相看，那该有多好。

事实上我们在这里所讲的是一种掌握他人想法的能力。在商场上，当你可以将自己的自信、风度和洞穿他人的能力结合在一起的时候，你的王者优势将无人可以挑战。

所幸的是，其实我们每个人都天生具备卓越的洞察力和影响力，都有建立丰功伟业的潜力，只不过我们很少使用自己的这些能力。在这本书中我将为大家揭示人们到底应该如何开发一项最核心的、我们其实已经具备却很少使用的能力：沉默而有力的非言语智慧。

这个世界上每时每刻都在进行着非言语式的交流。我们的肢体动作，脸部表情，我们怎么说话，怎么表达感情，怎么穿衣打扮，喜欢什么样的物品，有意识或者无意识的行为与态度，甚至是我们身处的环境——这些都属于非言语的交流。

每个人都可以流畅自如地解读并运用自己的"非言语智慧"，它可以被看做是一项全世界通用的语言。如果用一个21世纪人们常用的例子来说明的话，那么非言语智慧就像是一个电脑程序：它拥有十分强大的功能，但是大多数人只使用了其中的一小部分，而没有意识到其实还可以利用它的其他本领去帮助自己更有效地与人沟通，并达成目标。不仅如此，它与其他的任意一款软件一样，需要被激活、运行并即时更新，不断完善效用。在这本书里，我将告诉大家如何从最大的深度和广度上开掘非言语智慧的能量，帮助你在商业和人生的跑道上全速起飞！

## ≋≋ "非言语智慧" 的成功 ≋≋

我相信谁都遇到过这样的商业窘境：工作进程推进缓慢，成果不令人满意，员工的积极性和耐心越来越低。那时的心情多么糟糕！然而有一些特别不明显的非言语性的小细节，比如伸手与他人握手，或别人主动与我们握手时所应该采取

FBI 教你破解身体语言
LOUDER THAN WORDS
白金
升级版

的方式，如何接待一名新客户，平时讲话的语速，不经意间流露出的傲慢举止，甚至是公司网页的导航服务，在这些细节上的失误往往会给我们的行动带来巨大的影响。从这本书里，你将会知道别人一个"闪电式"的评价或印象是如何或支持或摧毁你的商业成就的。反过来，你也可以了解到如何利用这些评价和印象去收集他人的资料与信息，比如对方是否容易合作，对方够不够灵活耐心，或者对方到底值不值得你去关注。

你将学会如何不用一字一句在一个组织里建立良好的形象，进而为自己博取一个下次升职的机会。每一天我们都有机会在工作中给自己加上正的或是负的一分。你可以读出客户、同事，甚至老板的心意，辨析什么是最佳时机，什么是麻烦到来的时候；你将学会如何不用一字一句来领导他人并通过创建一个成功的环境把最优秀顶尖的人才吸引到自己的身边；你还可以了解别人对自己的看法与评价，从而在现在或未来的职场上立于不败之地；你甚至可以学到一个组织是如何被外界评价或看待，以及应该如何向大众传达正确的信息的。

## ≋≋ 我是如何学习"非言语智慧"的 ≋≋

对"非言语智慧"的关注源于我的童年时期，那时我们家从古巴移居到美国，八岁的我还一点英文也不会说就被迫扎进了美国式的日常生活：上学，试着交新朋友，了解周遭的一切。那时我唯一理解周围世界的方式就是观察别人的面部表情和肢体动作，希望从这些蛛丝马迹中了解他们的所思所感。

没想到我当时的这一举动却成了终身学习的对象和职业目标。我在美国联邦调查局学到了如何快速而准确地判断出人类行为背后的含义，以便及时采取合适的，有时甚至是关乎性命的应对措施。更重要的是，我的判断必须要有科学的方法作基础和支撑，只有这样才经得起司法审查。而这种方法正是我想教给你们的。

"非言语智慧"比我们平时所说的"紧抱双臂证明一个人很紧张""眼珠向左转证明一个人在说谎"要复杂得多。正如你所发现的那样，这两个例子不但都是不正确的而且也将"非言语智慧"的概念狭窄化了。

在日常生活中，从童年嬉戏到长大谈生意，我们曾接触过太多虽然无声但却传递着思想、观念、信息、情感的东西，比如各种意象、符号、动作和行为。我们也同样运用这些手段来吸引他人的注意力，强调自己感受的重要性，扩大自己言行的影响力，以及传达一些通过字词所无法表达的东西。

即使是平时的言语交流中也蕴涵着非言语的因素——语

调，方式，节奏，音量，说话时长，停顿，沉默，这些东西其实与我们说话的内容同样重要。

又比如在商场上，一场会议召开或是发言的地点，办公大楼旁人行道的标志，大楼的建筑样式，楼内的艺术品、装饰、灯具其实都是非言语式交流的一部分。现在，"颜色"也被列入了这种无声交流的范畴。还有那些看起来不起眼的小地方，比如接待台的摆放位置，门口的保安是应该站着还是应该坐着，所有这些实际上都在向大众传递着某种讯息。

从个人的层面上讲，我们都知道，动作、面部表情、着装是可以传递出个人信息的。不仅如此，一个人的打扮、身上是否有穿刺饰物或文身，甚至是在哪里站、坐、靠，这些非言语式的东西也在有力地向别人传递着你的信息。这些因素决定了他人将如何看待你以及你将如何与他人交流感情、思想和意图。

就连一个人背背包而不是拿公文包这样一个再简单不过的细节都能够有力地说明问题。再比如我们平时所用的名片的外观也在向别人传达着你是一个怎样的人。为每张幻灯片所选用的颜色，公司网站的外观和浏览速度，公司的着装要求，员工是否拥有周五着便装的权利，你的身上是否别着胸针，书桌上的摆设，甚至是每天到达公司的时间——所有这些，虽然是无声之举，却无时不在向别人传递着你和你所在的公司的形象。

还有些难以具体描摹的特质，比如一个人的处事态度，如何为事物做准备，谦恭的行为，仪表和着装风格等，也都是不用语言来表达的。但是它们所带来的影响却是巨大的，尤其当你身处在领导岗位上的时候。

我们不妨看看某个行业里的领导者或是政治家们是如何熟练地掌握这种非言语式的沟通的。当我们夸赞这些人的自信、魅力、同理心、远见、领导力时，要知道这些特质其实都是无声的。还有一些做到顶尖的企业，它们也同样是把一些"无声胜有声"的东西发挥到了极致，例如形象、品牌、光圈效应、百折不挠的精神、服务、反应能力和影响力等。

## 〰️ 从平庸飞向卓越 〰️

一直以来我都怀着敬畏的心情在观察、学习、研究非言语领域在表达一个人的精神特质方面所拥有的巨大力量。我曾亲眼目睹过一些本过着幸福生活的人，就是由于没有抓住一些确保他们成功、福祉和安全的非言语性暗示和机会而使美好的生活逐渐消逝。在做美国联邦调查局探员和顾问的时候，我看了太多人生的生生死死、悲欢离合。有些人被释放，有些人被监禁；有些人的行为导致他最终获得卓越的成就，而有些人的行为则使自己一败涂地。我做这项研究的地点不是在实验室，而是在实实在在的生活竞技场中。是它使我可以将人类的行为进行分析和归类，明白哪些是好的哪些是劣的，哪些会引向失败哪些会飞向成功，哪些会流于平庸哪些会注定不凡。

在将从美国联邦调查局退休的时候，我再一次为那些用非言语表达的事物的普遍存在和它所具有的强大力量而深感震惊。其实这些事物就暴露在阳光之下，它可以对我们的所作所言起到放大作用，而这种放大作用几乎是很难去衡量的。其实这样的事物在世界上是普遍存在的，但是它所产生的影响力却很少被人关注，没有几个人能真正利用好它。那些利用好了的人，以一些看似无形的手段获得了实实在在的巨大成功。这些不用嘴去说的事情可能很细小，就像眨一下眼皮那样不易被人发现，但是它们却能改变事物间的关系，因为无声的证明胜过了有声的雄辩。

如果能准确合适地将非言语性事物表述清楚，那它将会使我们的行为、话语、思想、志向浑然天成，凝聚成为一个有机的整体。它可以帮助建立人与人之间的尊重、信任和谐的人际关系，提高工作效率。它有助于团结而不是分裂，它有助于亲密而不是疏远，它有助于博采各家之长而惠及天下大众。这就是为什么非言语智慧是每一个企业成功的必备要素。

引言

# 第一章

NO.1

# 指尖的影响力

LOUDER

THAN

WORDS

# FBI NO.1 第一章

## 指尖的影响力

LOUDER THAN WORDS

今天我和两位理财顾问约好见面，准备从中选择一位帮我打理我辛苦赚来的钱。

在第一位理财顾问所在的办公大楼入口处，我看到一排排亟待修剪的灌木丛，入口的转门上还残留着指纹的痕迹。

在前台的问讯处，一位保安将访客守则的小册子交给我。其实我早已对来访需要的流程了然于胸，但依旧登了记，填写好自己的身份证号，等待前台与楼上办公室进行电话确认。随后保安向我指示了电梯的位置。

到了楼上，我发现前台的接线总机异常繁忙。趁着工作人员忙着接电话的空隙，我迅速说出了自己的名字和来访事由。工作人员示意我找个地方坐下，于是我便从咖啡桌上的杂志架上挑了一本杂志，找地方坐下并读了起来。

等了十分钟之后，正当我向前台询问哪里有卫生间的时候，"未来的"理财顾问走了进来。高卷的袖子和松垮的领带表明，他恐怕刚过了一个匆忙的早晨。与我匆匆握手之后，这位理财顾问便把我带进了办公室。

刚进办公室，电话铃响了。他一边抓起电话一边示意我坐下。于是我便坐了下来并尽量不去偷听顾问的谈话。等了一会儿他终于讲完了电话，而我们的会谈也就正式开始了。

下面再讲讲我与第二位理财顾问的见面经历。

这位顾问所工作的大楼窗明几净，楼外的树丛也被修整一新，周围环境整洁清新。

在前台问讯处，我很高兴地得知理财顾问正等候着我，我的名字也早已经写在了会客单上。简单地出示了身份证件之后，我便直接搭乘电梯上楼。

此时前台的工作人员正在接电话。看见我进来她连忙处理好手中的电话，并微笑着对我说："早上好，有什么能为您效劳的?"

像在第一位理财顾问那里一样，我说出了自己的名字和来访事由。工作人员安排我坐下并通知理财顾问我已经到了。坐下之后，我便随手拿起了一本放在咖啡桌上的公司手册看了起来。

不到五分钟，我的理财顾问便走了出来，边走边将他外套上的扣子系好。他以热情的微笑和一个十分有力的握手迎接我的到来，之后我们两个一起向他的办公室走去。

办公室内放置了好几把椅子，理财顾问告诉我我可以任意挑选一把坐下，只要我觉得舒服就好。更意想不到的是，他马上为我递上了我最喜欢的软饮料。我这才记起原来在我接到会谈时间确认电话的时候，工作人员已经询问过我爱喝什么饮料了。随后，我和顾问两个人都迅速进入了会谈。

说到这里，我想我最终会选择哪一位做我的理财顾问这个答案已经非常明显了：当其他变量都大致相同的情况下，我会把钱放心交给谁打理呢？

在这个情景中有一点似乎不易被察觉，那就是几乎所有关乎最终决定的因素都是用非言语表达的：

- 办公大楼的外观

- 安保人员的效率和礼节

- 说话接待或是手势指示

- 前台的接待员是否给予你足够的重视（交谈的时间、专注的眼神，以及接待的方式）

- 对方提供的阅读资料的性质

- 你的等待时间

- 你的洽谈对象有多重视自己的外表

- 洽谈对象的出场和握手方式

- 你的洽谈对象是与你并排走还是在前方引导你

- 对方是否在意你的舒适度（座椅或提供的食物）

- 接待你这位顾客和接电话相比哪个更为重要

也许你认为以上的这几条在乎的都是表面现象而已，但你不妨回忆一下，你最近一次断绝商务往来的对象是个什么样的人。很有可能是他长期不注意微小细节的地方越积越多——如不回复你的电话，不回复你的邮件，约会见面经常迟到，给人感觉做事忙乱无序，或是让你感觉他对别的客户比对你更加重视——而最终使你忍无可忍，进而对他的好感和信任也消失殆尽。好感和信任恰恰是一切商务往来的基础，这两大基础的消失会使起初良好的合作关系最终瓦解。有些人就是这样，本来良好的合作关系在悄然间变得越发恶化，而自己却还粗心得并不自觉——直到有一天合作伙伴提出要重新修改合同，提高成交价格的要求，或是出现了比你条件更好的竞争对手的时候，你才发现原来平时积累的小错误已经发展成为了"致命的伤痛"。

## 〰〰 细节决定成败：鲁莽决定的严重后果 〰〰

人类生来具有一个热爱学习的大脑。由于人类在生理上极其缺少实质性的防御手段（没有外壳，没有爪子，没有利嘴，没有翅膀，没有尖牙，没有超强的奔跑速度），所以我们生存下来靠的就是敏捷的思维：快速判断全局的能力，根据感觉作出果断决定的能力，从万事万物中汲取知识的能力，以及将所有所学的东西牢牢记住的能力。人类走到哪里都像携带着永远开启的雷达一般。这个世界每天都在不停歇地通过感官对人"倾诉"，通过"倾诉"传递源源不断的信息。与此同时人类也会不断接收并对这些信息进行评估，判断出这些信息的含义。

对于有些信息而言，我们接收到之后会有意识地进行处理：比如当你发现了一个很有魅力的人的时候，就会愿意主动进一步地接近他；只要闻到了刚刚烘烤好的巧克力饼干，我们就会有想尝一尝的冲动；当听见老板喊自己名字的时候就会马上过去询问老板需要自己做什么等。然而还有一些信息我们在处理时是无意识的：比如看见一辆向自己驶来的汽车便会马上跑离危险地带；当有人离自己过近的时候我们会缓缓地与他拉开一些距离；对于一些行为打扮怪异的人我们会避而远之……简而言之，人们每天都会根据生活中一些极其微小的信息做出判断——而这些判断又往往是在极短的时间内作出的。这就是人类所谓的"闪电式评估"。

　　"闪电式评估"的有效性是在 20 世纪 90 年代的时候被证实的。研究表明人类对他人的个性作出准确判断总是在极短的时间内完成的，通常仅仅是在看了几秒他的照片甚至是更短的时间内作出的。事实证明人们有大量的决定——从交什么样的朋友到如何利用自己的钱进行投资——都是在残留的潜意识的持续刺激下作出的。这种意识无处不在，无关逻辑，隐藏在潜意识之下，但却主导着我们的观念和看法。"闪电式评估"让我们对他人形成了深刻的认识，比如对方给你的感觉如何，你觉得对方是否值得信赖以及对方是如何看待你的等。大多数人在极短的时间内所做出的判断，将成为他们日后做出重大决定的重要参考依据。而这些判断却往往是无声的，非言语的。

## ≋ 无言的智慧：其实就在你眼前 ≋

我撰写这本书的目的在于给大家补上一直以来被人们所忽略的、成功秘诀中的重要一环——在工作场合下影响他人的能力，解读他人行为背后含义的能力，以及快速而深刻地洞悉他人行为及安排的真实意图的能力。这些能力其实并非高深莫测，人人都可以具备，它近得就像在你的指尖一般。

**小心你的举动：身体传达的非言语信息**

生活中非言语信息的传达可以通过大量的动作和手势来完成。动作和手势的发出既可以快得像眨几下眼皮，也可以优美得像芭蕾舞演员摆动的手臂一般；从我们的头向哪边倾斜，到我们的脚放在什么位置，身体任何一部分的动作其实都向外界传达着非言语的信息。然而对于这些信息，生活中存在着大量的误解。在接下来的几个篇章里，我将会通过介绍我在美国联邦调查局工作期间接触的案例，使你了解到专业人员是如何解读这些非言语信息的。同时你也将会学习到到底应该如何解读一个人的身体动作。尽管人身体的动作是无声的，但实际上在每天的商务会议和现实生活中它都是一位颇具才能的"演讲者"，是人们日常交流中十分重要的一部分。

**绝不那么简单：外表传达出的非言语信息**

生活中有个非常有意思的现象，大多数的人不愿意承认自己对外表有多么重视，但实际上人人都不敢忽视外表的力量（紧追时代的潮流，购买抗衰老产品，担心自己会发胖等）。人们时常会聚在一起谈论最新潮的发型，阅读流行杂志，对时尚的穿衣潮流等评头论足。人们对于外表口头上说不重视，但实际上却是非常在意的。其实这一看似矛盾的行为也是可以理解的，因为外表作为一种非言语交流形式，对于一个人的形象建立起着非常重要的作用。作为可视信息的处理中心，大脑的视觉皮层所占的面积很大。它作为大脑各部分的核心至少在两个方面起着十分关键的作用：生存和审美。正因为有了它，人们既可以注意到自家汽车旁边站着的蓬头垢面的小伙，也可以注意到香水柜台后极具魅力的女士。人总是会关注别人的外表，同时也基于自己的观察决定与什么样的人在一起。一旦名人杂志或是小报上发布了最新的流行时尚，一定会有一大批跟随者蜂拥追捧。

人们对于某种审美的偏好早已在大脑中形成。每一种文化都有对某种特定的美丽、健康、年轻、对称性的赞赏和追求。我们只能把它解释为一种进化中的必要性。根据研究显示，即使是婴儿，也追求美。美丽而对称的脸蛋会使婴儿发笑。在潜意识的驱动下，为了能够看到更多美丽的事物，婴儿的瞳孔还会放大（就像我13岁那年第一次在迈阿密海滩的多维尔酒店中看到了安·玛格丽特一样，她的美丽让我倾倒，我敢肯定地说当时自己的瞳孔一定是放大了很多）。

人们还容易对外表高大威严的人物产生崇拜感，这就是为什么酒吧里的骗子往往是一些身材魁梧的大汉。人们对于这些彪形大汉总会产生心理上的依附感，这也解释了为什么大多数领导者的身材要比普通人高大。

良好的仪表所能带来的好处一直以来都是学者研究的焦点，从而产生了"美丽红利"的概念。经济学家发现长相好看的人往往能够赚更多的钱，因为这些人能够得到更频繁的升迁机会。同时研究者还发现聘用外形靓丽或帅气的员工，公司也可以从中受益，因为这些人能够为公司创造更多的价值。事实上，"美丽红利"的概念已经为一些广告商所熟知，这也就是为什么我们经常看到美容产品，乃至是一切产品，都会请帅男美女来做广告。

也许你会认为总是把焦点放在外表上的做法很不公平，但这就是人性。如果你想成为一个掌握非言语智慧的大师，你就必须要关注外表——无论是你的还是别人的——针对这个问题我们还会在第五章里就如何进一步打理好自己的外表进行探讨。

## 彼得大帝，时尚专家？

　　彼得大帝是 1682～1725 年间俄国的沙皇。通过多年在欧洲的游历，彼得大帝深刻认识到了沙皇俄国在习俗和思想上的落后。直觉告诉他，相对于西方人而言，要想彻底改变俄国人看待自己的方式，就必须对子民们进行一场从内到外的变革。他的变革首先是从波雅尔（俄国对贵族的称呼）开始的，因为只有这样才能对其他人起到带头作用。他不仅要求所有的贵族男士剪掉胡须和头发，还要求男士们脱下长长的外袍改而换上西式服装，比如裤子。因为在西欧的船坞工作过之后，彼得大帝感觉其实裤子更为方便实用，他希望俄国人能像西欧的对手那样富于创造力和高效的生产效率。在彼得大帝看来，德国人的服饰穿着最符合他的要求，于是他便下令把德国人的典型穿着印刷成海报张贴在莫斯科城的大门上，任何没有达到新的着装要求的人都会被处罚。很快的，不遵守沙皇提出的要求所要遭受的惩罚越来越重。即使是沙皇身边的精英们，只要是违反了他的意思也会被打入监狱并剃掉胡须。

　　彼得大帝改造人民的方式是从改变他们的着装和外表开始的。当俄国人开始用不同于以往的眼光看待自己的时候，他们思考问题的方式也会随之变化。仅仅用了五年的时间，欧洲的参访者就惊奇地发现俄国人不仅仅外表改变了，思维也转换了。这一点正是彼得大帝想要重获在欧洲的影响力以及重获欧洲对于俄国的尊重的第一步。他知道欧洲有两大权力象征：强大的海军和宏伟的城市。有了国民新思想的建立作为基础，他开始狂热地追求这两大权力象征。他建立起了一支强大的海军（直至今日仍是世界第二大海军）并将首都从莫斯科移至了圣彼得堡。圣彼得堡在两百年的时间里一直是俄国的政治和文化中心。只用了一代人的时间，彼得大帝就让俄国从一个边缘化的角色走上了国际竞技场，同时也证明了彼得·阿列克谢耶维奇·罗曼诺夫沙皇的远见卓识——要想建立丰功伟业，你必须想法独到。而要想做到这一点，你必须首先改变国民看待自己的方式——这话说得多么准确！

### 听到我说什么了吗？演讲中的非言语信息

一个人说话的方式可以改变别人看待我们的态度以及我们和他人的沟通效率。也许你从未想过日常口语中的词汇会与非言语的沟通存在着什么联系，但是这两者之间确实是有关联的。这其实与我们说什么的关系并不大，而是与你怎么说有关。人的发言除了是由字词组成的之外，还包含很多其他因素（次语言学），比如演讲时的状态、转调、音量、语速、节奏、强调、踟躇、停顿——甚至还包括什么时候说，什么时候不说。

多嘴的人和巧舌如簧的人之所以多给人负面的印象，不是因为他们说了什么，而是因为他们说的方式有问题。相反的，人们大多喜欢那些说话小心谨慎，分寸把握得当的人。我这里只是举了平时讲话中的几个例子而已，其实正如你所知道的那样，除了话语之外，在与人的沟通中还有很多其他因素可以提高人与人之间交流的质量。

## 〰️272 个词的不朽演讲〰️

如果让你马上回答谁是爱德华·埃弗雷特，恐怕十有八九你会答不上来。其实你不知道的话也不必觉得沮丧。他曾是哈佛大学的老校长，美国驻英国的全权代表和杰出特使，同时也是美国最著名的演讲家之一。在临去世的三年前，爱德华·埃弗雷特接受了一场在生命中最重要，也是场合最为正式的演讲邀请。那场演讲的主题是讲述美国在历史上曾经遭受过的深重灾难，对这段逝去的历史致敬，同时也深深地追忆在当时的历史背景下美国人民所经历的水深火热般的生活。爱德华·

埃弗雷特向已经等待了好几天的听众发表了长达两小时的演讲（准确地说是两小时零八分）。这次演讲无论从哪一个角度上说都充分展现了他的演讲水平和才华。然而不幸的是，就如同他的名字没几个人知晓一样，这次演讲中并没有留下什么令人回味无穷、掷地有声的名言。

说完爱德华·埃弗雷特的演讲后，我们再谈谈另一位演讲者。他的演讲让我们至今记忆深刻。记得他那次演讲不过短短 3 分钟，没有复杂的句式和成百上千个单词。他只用了 272 个词和区区 10 个简单的句子。他的演讲是那么简洁以至于准备拍照的摄影师们连设备还没有安放好演讲就结束了。所以直至今日我们也没有他当年演讲的图片资料。但是，他的话语却是那么的生动有力，与听众产生了极大的共鸣。他以一种最不可能的方式开始自己的演讲，而也正是这个开头使所有的听众都陷入深思："87 年前……"

最终，这 272 个词，而非那两个多小时的发言，成为了真正吸引全场的焦点。这位演讲者就是林肯。林肯在美国国家烈士陵园发表的葛底斯堡演说以其简洁有力的语句，表达了美国人为追求建立一个民主统一国家而做出的巨大牺牲而扬名全世界。他的演讲异常精彩，而他之所以能够做到这一点得益于他机敏的头脑。林肯深知应该怎样做才能感染议员，感染听众，甚至是感染一个正饱受灾难的国家。讲的多不一定讲得好，人人都喜爱简洁，简洁的发言有时反而可以使演讲者所要表达的信息在他人的脑海中留下更深更长的印象。

### 倾听所传递的非言语信息

要想做到了解你的听众有两点非常关键，一是感情投入，二是做一个好的倾听者。中国人对于"倾听"的定义十分复杂，它包括"用耳""用眼"和"全神贯注"几个要素。同时，单纯地倾听和用心去听之间也有着很大的差别。

如果让你在脑海中马上想出一个你十分信赖的人，那么十有八九他或她会是一个很能了解他人感受的很好的倾听者。已有研究充分证明，一位医生若能够认真地倾听病人的抱怨并施以他们抚慰的举动（比如抚摸），就会大大减少自己被投诉的概率；股票经纪人若能认真倾听自己客户的需求，那么即使是在投资失利或遭遇股市熊市的时候，也会免予客户的指责和发难；一位经理若能认真地倾听一位在工作或私人事务上出现问题的员工的倾诉，那么即使经理自己对解决问题本身也无能为力，只要耐心地倾听，还是可以增加员工对他的忠诚度。

## 沟通中的"言语镜像"

与认真倾听并列的是"言语镜像",这一概念是由世界著名心理学家和作家卡尔·罗杰斯(1902～1987年)提出的。"言语镜像"是一种虽然简单但却十分有效的沟通方法,主要用于与他人之间建立起良好的关系。我在FBI时发现使用这个方法去建立与他人的沟通渠道确实非常有效。

罗杰斯认为,任何人,比如医生在对病人发问时一定要抓住对方的心理,这样才能与对方建立起更为有效的合作关系。如何抓住对方的心理呢?就是认真地倾听。用从对方嘴里听到的信息,原封不动地,再反过来与其沟通。比如,如果罗杰斯的病人说"我的家",那么他也会用"家"这个词来回应病人,而不是"房子";如果病人说"我的孩子",那么罗杰斯就一定不会用"小孩""女儿"这些词来跟他交流。这种"言语镜像"的方法对于在工作中与他人建立默契和融洽的沟通渠道十分有效,尤其是对于医务、心理、销售和金融等方面的行业,更是如此。

然而可惜的是,大多数的人在交谈中的用词总是以自我为中心,以自己的词语选择来主导谈话。为了使你与他人的沟通能最大限度地有效,你必须要使用他人说出的词汇。因为这样可以映射出对方的思想,使其在言语和心理上感到安慰和愉快。而同样的，换作是你，你也会感受到这一点。

我现在已年过五十，在自己成长的道路上曾遇到过很多"困难"，而非"问题"。如果有人问我"对某件事你有什么问题吗"，那么他还不如问我"有什么困难吗"？对我而言，"问题"这个词没有多大实际意义。我想对于很多与我同龄或是较我更为年长的一代人都对此有同感。

与他人的交谈中不懂得应该重复对方用词的现象，在我与一些老板的座谈中非常常见。有些老板错误地认为客户能够理解或应该重复"自己的"用语，其实远不是这样。真正该认真倾听的人是他们自己。比如说，如果客户问你："这个多少钱？"最聪明的回答不是围绕着价格滔滔不绝，因为那会让客户觉得你很功利，脑子里想的只是如何让他尽快掏钱；如果你的客户说他"对经济状况很恐惧"，那么你也要表现得对他的恐惧很理解，而不要回答："我看得出你的担心。"他不是在"担心"，而是在"恐惧"！当你使用别人使用的词语时（以他人为中心而不是以自己为中心），你实际上是在表现对对方充分的重视。那么他在潜意识里就会感到自己在更深的层面上得到了理解，同时也会对你的话作出更为积极的回应。

我意识到"言语镜像"的重要性还是在自己刚刚工作的时候。记得那一次我处理的是一桩联邦逃犯的案件。我在亚利桑那州的金曼逮捕了嫌疑犯之后，他向我叙述起自己的人生经历。在我们开往最近的地方法院的这一路上，我一直在用他说的词汇与他交谈："难堪的""尴尬的""担心的""一个好的基督徒"。我告诉他我能理解在被捕的那一刻他是多么的难堪和尴尬。因为作为一个好的基督徒，他担心妈妈会知道这件事情。就这样，在去往菲尼克斯这短短的一段车途上，他变得对我非常信任。他向我坦言了很多以前的调查员调查时漏掉的细节，同时也供出了其他的受害者。这个罪犯之所以对我如此坦白并非因为我多么的聪明，而是因为我巧妙运用了"言语镜像"的手法。

所以，认真倾听你的客户、病人、员工和商业伙伴的话吧，同时将他们使用的词汇好好利用起来。当然这个办法也适用于恋人之间。如果能够运用好这个方法，你将会被视为，同时也真正成为一个优秀的倾听者。

### 有人在盯着你：行为传达的非言语信息

回想一下在你工作的单位里，谁的办公室经常一片狼藉？谁总是习惯性地迟到？谁在开会时总是浪费大家的时间？谁总是不及时给你信息的回馈？谁总是因为犯懒而找各种各样的理由逃避工作？

相信你一定知道哪些人是这样的。其实不仅仅是你，你的其他同事一定也知道这一点——除了那些当事人自己还浑然不觉。显然，这些人的行为对他们自身的形象起到了很不好的负面作用。也许他们在其他方面有着出色的才华，但是在这个高度竞争的社会，并不缺乏那些既能把自己的办公室整理得井井有条，又能准时上班，在每次开会前做认真的准备，尊重同事，工作勤勉，又同样才能出众的人才。可见好的礼节和操守不但会让周围的人感到舒服，同时也能为自己带来积极的影响。整洁、守时、专心、勤勉在商务生活中是难得的几个能给人留下深刻印象的非言语行为。

别人对你的看法和判断都是以你自己的行为为依据的。在单位里，你的一举一动都在大家的观察之中：你来上班的时间，你一天之内抽烟休息几次，你会抱着公共电话跟朋友聊天多久，你多长时间会请一次病假，你工作的质量，你会不会拍老板马屁，或者你到底是个工作认真努力的人还是个只会发牢骚的人……如果你认为周围的人不会关注这些，那你就大错特错了。所有你在工作中的负面行为都会留在别人的脑海中，终有一天它们会对你的工作以及老板对你的看法产生不利影响。

不仅仅是组织内部的人员在观察着你的行为，局外人也在看着你和你的下属在生活中的表现。比如说，医院在病人中展开问卷调查，在总共的 21 个问题之中，有 2/3 的问题是关于非言语交流和沟通的。比如说"医生是否细心殷勤？医护人员是否认真倾听您的要求？他们能否提供及时的服务"等。在接下来的篇章中我会教给你如何运用非言语的沟通方式和行为使你和你的公司让客户感到满意和舒适，进而在众多竞争者之中脱颖而出。在各种方法中，良好的自我展示是非常关键的，尤其是在这样一个因特网高度发达的时代。正如大学教授会为自己在网上的教学评估结果而感到紧张一样，在现代社会，一家公司的信誉和形象也可能会因为网上博客们的一张嘲讽其服务质量的广告而彻底摧毁。

### 门外的世界：环境传达的非言语信息

当借贷利率相同的情况下，我们凭什么来评判到底应该选择哪家银行进行合作？首先考虑的是这家银行的服务，当然，也基于其他一些因素，比如企业大楼的外观设计、广告、企业形象、对顾客的服务质量——所有这些都不是用语言说出来的。最成功的商人往往深谙"沉默"二字所具有的巨大影响力。从银行大厅的设计到首席执行官的办公室陈列，真正精明的商人不会疏忽掉任何一个细节。位于拉斯维加斯的凯撒酒店的外表是用 18 种不同的白色漆料涂成的，这个建筑本身多少年来也经常被粉刷和重修。为什么？因为不断变化的外观设计使这座酒店永远高朋满座。毕竟在拉斯维加斯，最不缺的就是酒店。

环境不仅仅会影响企业利润，还会影响我们的日常行为。研究最近刚刚证明了所谓"破窗理论"。这个理论讲的是一个地方越是杂乱无章、毫无秩序，它的犯罪率或反社会行为发生率就会越高。警察也知道如果连一个地方的市民都对社会的基本规章毫不关心，那么犯罪分子也当然就会更加肆无忌惮地实施反社会行为了。

在第六章"组织形象的力量"和第七章"情景中的非言语智慧"中，我们还将继续讲述非言语行为的影响力。当你开始用以上两种视角去看待自己的工作环境时，你会更加深入地发现，在工作中不论是大事还是小情，都有可能产生巨大的影响。

**无形之事决定一切：个性传达的非言语信息**

谦虚、自尊、自信、傲慢、粗鲁、胆小……很多人没有意识到与一个人个性相关的无形的气质，虽是无声的，但却是最有力的，最能展现自我的东西。当你想到英雄甘地的时候，脑子里闪现的第一印象是什么？是他这个人的形象——无声的——一个穿着白袍，腰间系着一条简单腰带的形象。这个爱笑的男人，尽管后来从未穿着笔挺的衣装、打过领带，没有搭乘过什么私人飞机、豪华轿车，也从未有过什么大批的随同人员，但是却通过实施非暴力不抵抗政策和自身的谦逊品质，带领印度推翻了英国的殖民统治。

我曾经告诫年轻的企业家们，如果想使自己做事变得更有效率，那就要学会谦虚。傲慢只会将商业信誉毁于一旦。我还从没有见过有哪个人会喜欢傲慢和鲁莽的人。自恋不会让你获得任何的同情。就像前任纽约首席检察官艾略特·斯皮策所说的那样，卷入了性丑闻之后才发现，原来周围的人对自己都是那么的无情，只因过去的自己太傲慢太自负。

### 〰〰〰"这简直是天大的讽刺！"〰〰〰

2008 年的次贷危机使我们的国家至今还深陷在经济衰退的泥潭之中。经济的不景气使汽车行业濒临破产的边缘。美国三大汽车业巨头——福特、通用和克莱斯勒的老总最近齐赴华盛顿，恳请美国国会调拨 250 亿美元的税款扶助金。为了保证公司数以百万计的员工的饭碗和生计，他们决定搭乘公司的喷气式飞机飞往美国国会山进行游说。然而这一行为却引发了来自美国国会、总统、工会、媒体和普通美国民众的一致嘲讽："这简直是天大的讽刺！"一位国会议员说道，"他们竟搭乘着奢华的喷气式飞机来到华盛顿，下飞机时手里还拿着刚喝完东西的锡纸杯！"这位议员的批评已经算是最温和的了。很难理解这些如此聪明过人又受过良好教育的大亨们竟会在这个问题上犯如此明显和笨拙的错误。

就在其他国家也都在为应对这场自大萧条以来最严重的金融危机而焦头烂额的时候，这几位大企业家似乎没意识到自己的行为在传达着怎样的信息。他们的造访不仅毫无计划（只为得到华盛顿的资金支持），同时也没有在华盛顿和美国大众中赢得一个朋友或支持者。这次价值数十亿美元的游说行动的惨败，在今后的几年里必将会成为美国商业课堂上的反面教材，让后来人引以为戒。

## 〰〰 赌注越大，非言语智慧越为重要 〰〰

在 2008 年美国大选期间，我曾多次受邀到美国 CBS 电视台的晨间节目上分析总统候选人在全国公共演讲和辩论中的"非言语"表现。有一个观点留给我的印象颇为深刻，那就是当所有的集会、演说、广告宣传、辩论都结束了的时候，没有人会真正记住候选人说了什么，我们能够记住的只是谁看起来更加沉着，谁看起来更加老练，谁的眼神像大学里的啦啦队队长般有活力，谁看起来更加称职，谁看起来"更像总统"。大多数情况下我们脑子里留下的都是这些"非言语"的东西。每过四年美国人就会重提"非言语"行为的重要性。其实那些在公司里竞选行政总裁的候选人也是一样，他们被记住的往往不是说了什么，而是他们在舞台上的表现。通过在国家舞台上的表现，人们就可以判断出他们在世界舞台上会表现如何了。

非言语行为在我们的生活中比比皆是，你的非言语行为几乎代表了你是一个怎样的人。意识到这点的人会比那些没有意识到这点的人获取更大的影响力。信任、和谐、合作、亲和力、生产力和影响力都与一个人的非言语行为有着极大的关系。忽视这一点，你只会沦为平庸之材，甚至导致任务的失败。在下一章里，你将会了解到人对于安慰和信任的需求是多么的强烈。无论做什么事情，安慰和信任对人而言都是两大重要的推动力。

NO.2
第二章

# 自然表现法则：
# 非言语智慧的基石

LOUDER

THAN

WORDS

我一直珍藏着一本相册，里面摆放了许多我在旅游时照下的珍贵照片。其中有一张是我的最爱，那就是我与女儿在她四个月大时的合影：她依偎在我的怀里，躺在我的胸前，我们头挨着头，彼此都感到十分沉醉和满足。

反过来再想想，在全球经济即将面临崩溃的 2008 年秋季的那几周里我所经历的最最黑色的那段时光，至今令人心悸。纽约股票交易市场大厅里摆放的照相机真实地记录了现实生活中人们面对困难时无言的恐慌和痛苦：所有的人要么双眼紧闭，要么用双手挡住脸，生怕看见电脑屏幕上再出现什么让人胆战心惊的数字；人们紧抱着身体，紧咬着嘴唇，内心极度的沮丧之情溢于言表；手不时轻打着嘴和下巴，手掌像做祈祷般地合十；人们还不自觉地咬着指甲，或是把脸颊撑得鼓鼓的，通过空气排除法来缓解压力……所有这些，都是人在不愉快时的典型表现。

舒服和难受——愉快和痛苦，这两大因素构成了每个人生活中最重要的两极。我们每天不是体验愉快就是品味痛苦，而人的身体也会通过一系列的化学反应来掌控情绪并进而影响行为。人总会有自然或不自然的反应，这也是人生存的基础。由于人的大脑非常忠实于情感变化所导致的身体反应，所以观察一个人的身体动作发生了什么样明显的变化，是一种极好地洞悉他人所思、所感和所想的方法。

## 最简单的"自然表现法则"

在阅读了上百本书籍和文章之后，我最终决定用一种最简单的方式教会 FBI 的警员们如何识别和判断人的非言语行为，这种最简单的方式就是"自然表现法则"。研究非言语交流并不是件轻松的工作，除了利用已有的学术研究成果，我还尽可能地利用在 FBI 工作中的机会来检验研究成果的有效性，毕竟在这里才能接触到实战场景：真真正正地坐在一名间谍或是恐怖分子面前。不仅如此，国家安全事务重于泰山，我工作的重要性和紧迫性也迫使我必须要非常精通非言语行为这一领域的知识。有太多的案子等着我去解决，在分析案情这件事上我没有任何的时间和金钱可以浪费。间谍或犯罪分子时时都在蠢蠢欲动，我没有过多的时间去沉思，去休息，去暂停，去重来；我们必须寻找到一套可以既快速又准确地读懂他人行为的方法，使整个队伍可以在第一时间采取果断而准确的行动。

总之，这一过程必须要非常顺畅。给反间谍警官和执法人员进行非言语行为识别和分析方法的传授必须要迅速，同时还必须实用，只有这样我们才能尽快将这套理论运用到实践中去；当然，它还必须经得起科学和司法的检验。我发现学生们其实很快便能掌握自然表现法则的要义，如今这套理

FBI 教你破解身体语言

LOUDER THAN WORDS

升级版 白金

论已经传授给了世界上成千上万的学生们了。

其实，这套理论的要义很简单：在你观察一个人的行为时，问问你自己，他在说话的时候表现自然吗？要想回答这个问题并不困难。比如我一提到男女恋爱间的行为时，你马上就会想到牵手、深情望着对方的眼睛、紧紧依偎、相互抚摸、一起散步、真诚微笑等（这些行为被称为"身体呼应"或者"相同行为"）。

相反的，从一个防御性极强的人身上，比如试图掩盖其犯罪行为或犯罪意识的人身上，我们看到的是什么？我们看到的应该是和上面相反的行为：他们总是与他人保持一定的距离，比如远远地靠着、缩手缩脚、动作僵硬、表情严肃、不苟言笑、不时偷窥四周、烦躁不安并表现得异常紧张等。

我就是用这种方法——观察对方是否显得自然或不自然——帮助大家分析非言语行为的，通过它很多行为背后的隐藏含义都会被自然而然地揭示出来。在大多数情况下，人对周围世界做出的反应都是双元的。当一个人试图保护自己的时候，大脑所做出的自然反应也会是双元的，一方面大脑可以根据你的意愿在一定程度上刻意控制一些东西，但另一方面它也会不由自主地流露出你内心最真实的想法。

比如说，当你的面前突然出现一条蛇，或是突然听到杜宾犬的咆哮声时，脑子里会马上做出这样的反应：这对我可能是一个威胁。我们的大脑不会耽搁一时一刻,马上就会做出这样的分析和判断。从进化论的角度上讲,人不宜在脑子里总想着威胁或恐惧的事物。所以我们便发展出了一套新的、更有效的方法,借助它能帮助人类判断某些事物是否真的会对我们造成威胁或带来不安。21世纪人类的反应机能其实和两万年前没什么两样,甚至还不如那个时候。其实,人对任何事情的负面回应都是在瞬间内发生的,它是你内心状态绝对忠实的写照。你的感受时时刻刻都通过你的行为表现着:灿烂地微笑或是泄气地垂下肩膀。

为了进一步帮助我的学生理解这一点,同时也为进一步证实这一模式的有效性,我列出了一系列词汇和短语。这些词汇和短语可以被划归在自然或者不自然的范围里。看完之后,我相信你会为原来人类有这么多的感情和行为可以被划归到这两大范围内而大吃一惊:

| 自然的象征 | 不自然的象征 |
| --- | --- |
| 平静 | 焦虑 |
| 自信 | 担心 |
| 思路清晰 | 思路混乱 |
| 亲密 | 背离 |
| 欢乐 | 悲伤 |
| 语言流畅 | 语言错误 |

| | |
|---|---|
| 友善 | 敌对 |
| 幸福 | 郁闷 |
| 开放 | 闭塞 |
| 靠近 | 退出 |
| 愉悦 | 生气 |
| 耐心 | 急躁 |
| 温和 | 紧张 |
| 安宁 | 恐惧 |
| 接纳 | 顽固 |
| 放松 | 紧绷 |
| 尊重 | 蔑视 |
| 有安全感 | 无安全感 |
| 温柔 | 严厉 |
| 信任 | 怀疑 |
| 真诚 | 虚伪 |
| 热心 | 冷酷 |
| 坚决 | 犹豫 |
| 镇定 | 咆哮 |

　　虽然无论如何也不可能将这些词汇穷尽，但是这个表格却可以明了地告诉我们到底人有多少行为、态度和情感可以被划归在这两类当中。

## ≈≈≋ 商业活动中的"自然表现法则" ≋≈≈

究竟"自然表现法则"会在有效领导、培养商业客户、促进销售、解决人力资源难题方面起到什么样的作用呢？我敢打赌，你马上就会意识到在商业环境中学会使合作伙伴感到自然是多么的关键了，因为这些行为所产生的影响将是奇迹般深远和重大的。要掌握较高的工作效率，首先必须学会处理好令人不愉快的事件，并重新建立起和谐愉悦的工作气氛。非言语智慧——读懂他人行为的能力——会告诉你如何在他人还未开口，甚至是自己都还没有意识到的情况下，去洞悉并解决不和谐因素的方法。如果你目前正处于工作的繁忙时期，或是对有关非言语智慧的知识一无所知，那么你只需问自己一个问题："我的行为会让对方感到舒服还是难受？"只要多问问自己这个问题，那么多数情况下，你就可以顺利地使思路回到有效的轨道上了。

在 FBI 任职期间，每次在与罪犯接触时，我都会和同事们一起将大量的时间花费在与被访者建立自然与和谐的关系上。因为大量的事实告诉我们，人越是处在高度压力、不信任或憎恨的情绪下，越不容易与他人合作。顺便提一句，消极的情绪会使人的记忆力下降，这就是人在精神紧张的时候常会忘了把钥匙放在哪里的原因。我可以向你保证，如果一个罪犯对我极其反感或仇恨，他永远也不会向我坦白任何事情。在现实生活中，罪犯真诚的坦白绝不会像你在电视剧中看的那样简单，它只有在审讯者与被审讯者之间建立起了良好而自然的关系时，才会发生。良好的人际合作关系能在我们的生活和工作中起到极大的推动作用。研究表明，一旦商业伙伴双方建立起了健康和谐的合作关系，相互尊重，适度交往，那么彼此之间就会越来越信任，进而愿意拿出越来越多的钱进行投资与合作。

掌握了非言语智慧的奥妙不仅能使你在与他人相处时给人舒服自然的感觉，还能够帮助你更有效地与他人沟通。你是否注意观察过那些伟大的演讲家和领导人是如何自如优雅地发表演讲的？他们在演讲中流露着自信，而这种自信只有在十分自然的状态下才能够更好地传达出去。无论演讲的气氛是多么紧张激烈，最终只有那个表现最为镇定自若、气定神闲的演讲者（也就是表现最令观众感到自然的人）才会得到大家的支持和爱戴。

## 你的大脑边缘系统

人的大脑时刻都在向外界传达着有关此刻你感觉如何的信息。我们根据自己感觉舒服与否来决定到底是远离威胁自身的事物，还是靠近保护自己的事物。这套生存机制已经在人类的进化史上发展了好几百年，它帮助人类趋利避害，与外界建立起某种必要的合作关系，进而保证一个物种的生存和繁衍。

在大脑中，指引人类对生存信息做出反应的部分叫做大脑的边缘系统，它是由深埋于脑部的胼胝体（连接大脑的左右半球）、扁桃体（对任何可能对我们造成伤害的事物作出反应）、海马体（储存人的情感记忆和经历）、丘脑（提取感性信息的"CPU"）和下丘脑（调节人体平衡）组成的。

正如电脑里的病毒防御程序一样，无论大脑皮层（大脑中负责掌握意识的部分）处于何种状态，大脑边缘系统总是在"后台"工作。当人遭遇危险时，大脑的边缘系统会做出某种神经性反应。这一论点已经被千百年来的经验所证明。我们会停住不动（freeze），转移逃跑（flee）或者大打出手（fight），我管这三种反应叫做"无言的3F"。

## 停住不动

很多人都听说过这样一种说法："面对威胁，要么战斗，要么逃走。"但事实上，人在面对威胁时还会有第三种反应，那就是"停住不动"。它是人类面对威胁时最先，也是最常见的一种反应。为什么呢？一个词：效能。想象一下，假如你是一个生活在非洲热带草原的早期原始人，如果有一天你突然发现一只剑齿虎潜伏在树丛里时，你会吓得发抖。"边缘常识"告诉我们：这时你最好的应对方法就是不要动，不要让这个食肉性动物注意到你，因为一旦那样做的话，这个大型的猫科动物可能会立马扑向你并开始撕咬。所有的哺乳动物都具备定向反射的能力，所以阻挡这种威胁的最佳方法就是保持静止不动。另外，"停住不动"可以帮助我们保存能量，同时也可以争取更多的时间去观察周围环境，伺机而动。在人类进化的漫漫道路上，这一方法若是没有经过反复的试验而证明有效的话，人类是不可能存活到今日的，也就不会演化成今天这个样子了。

尽管今天人类所居住的地点和工作所在的摩天大楼，早已远离了非洲的热带大草原，但是古老的边缘性反应可是没有随之消匿。"停住不动"依然是人类保卫自身时所做出的第一反应，同时这一现象也在生活中很多的非言语事例中有所体现：当员工在工作中表现不佳而遭到批评时，通常会用双手盖住膝盖或是双脚在脚踝处交叉；当那些平时口若悬河的政治家们被问到难以回答的问题时，也不免会做出紧紧地抓住椅子背的动作；当学生没有按照老师要求阅读指定文章时总是爱用傻傻的、不知所措的表情看着老师；犯罪分子在接受审讯时越是对警官拒不认罪，坐在椅子上时整个身体就越是会像冻上一般的僵硬。以上所有的事例都反映了人的身体在紧急情况下，是如何"以不动应万动"的。

再比如，当生活中突然有暴力事件爆发，或者人突然听到一声巨响时，尽管会非常震惊，但是第一反应往往是被吓得不敢动了。这就是"停住不动"效应在起作用。人的这一反应是相当敏感的，又比如在听到什么坏消息时，人也是会先停住半刻，再作出下一步的反应。

### 转移逃跑

如果说"停住不动"并不能够帮助我们驱散威胁的话，那么逃走就会是下一个选择。在自然界中，我们经常能看到这样一幅图景：一群牲畜本来在安静地吃草，突然遭到了一头饿极了的猎豹的攻击。成百头牲畜先是被惊得一动不动，然而几秒钟后，整个牲畜群开始全速逃跑。

在现实生活中，尽管我们会避免做出令人不舒服的举动，但是大脑的边缘系统还是会时时刻刻告诉你要远离那些不好的事物。正像在下一章中你将看到的那样，人的腿和脚会非常"诚实"地对外界变化作出反应。对于感觉异样的事或人，它们会马上退避三舍：当你想终止一段对话时，你的脚自然就会离开地面；当陪审员不相信证人所提供的证词时，脚自然就会向出口方向迈出；当有人在会议室里发表不当言论的时候，周围人会不由地转动起自己的椅子；面对不喜欢的人，我们也会下意识地想与其保持一定距离。这就是人类的边缘系统对于厌恶的事物所做出的自然反应。

同样的，面对那些给人感觉有些奇怪的人，我们的身体也会不由地向一边倾斜，或是稍稍背过去一点。而面对自己讨厌的对象，我们更是会干脆背对着他们（还记得查尔斯王子和戴安娜王妃在他们婚姻的最后一年是怎么表现的吗）。有时为了保持距离，人们会人为制造一些间隔上的障碍（例如突然把皮夹放在腿上，把夹克外套扣上扣子，锁上车门，东张西望等）。有时，甚至连眼睛也能够充当防御工具，比如低垂下眼帘，用手指挡住眼睛等。所有这些都是现代生活中与他人保持距离的方法。

### 大打出手

如果面对危险既不能停住不动，也无法逃跑的时候，那么人们只能选择武力反抗。事实上，"大打出手"是"无言的3F"中付出代价最大的一个选项。因为它消耗能量，又有受伤的危险，将自己置于了与敌人硬碰硬的境地。更重要的是，我们并没有必胜的把握。

在现代"文明"社会中，人们早已经把"明刀明枪"转化为了"被动反抗"（比如有些人表面上答应你完成工作，背地里却消极怠工）。争吵、咆哮、向墙上扔东西、气急败坏地跺脚骂人、把鞭炮放进别人的信箱里——这些手法早就已经"老掉牙"了。

因为要受法律的限制，人无法对他人实施暴力，所以有时便将暴力施向了自己（比如用手猛击、往地上摔东西、把嘴唇咬破），或者找个代替者进行自我发泄（写恶意信件或让小狗到邻居家的院子里疯跑），或者是通过身体语言把怨气表现出来。比如说，生活中我们常会见到以下这些场景：两个男人胸贴胸地相互叫嚷；老板看不起你，于是故意在你面前摆出一副颐指气使的架势；怒气冲天的乘客为了给自己讨个说法，身体一步步地向工作人员的服务柜台逼近……争吵、诽谤、恐吓、恼火——这些都是现代人相互争斗的方式，形式更为激烈的争斗恐怕也是法律所不允许的了。当然，尽管这样，人与人之间的拳脚相加总还是不可能完全避免的。

有时，我们从一个人身体的动作，就可以嗅出浓烈的火药味。下巴收紧，紧握拳头，猛推胸膛，衣冠不整，鼻孔张大等，这些都是人要打架的前兆。实际上现代人已经不会像以前那样，比如中世纪的时候那样好战。与他人发生矛盾或者冲突的方式也日渐多样化了。但是无论如何，打架这件事还是属于我们前面所讲的边缘反应的范畴。

## ~~~ "我看得见你，你看得见我" ~~~

镜像法——谈话双方的动作和姿势相互匹配——是生活中展现舒服与自然最有力的方法。我们可以从亲子关系中证明这一点。如果我们把妈妈与孩子间的呼应动作（也被称为仿真实践，姿态呼应，或者同步模仿）放慢来看，你会觉得他们好像在跳舞一般：孩子笑，妈妈就笑；孩子咕咕地叫，妈妈也会发出相似的声音；孩子稍稍侧一下脑袋，妈妈也会跟着这么做。这就是母子之间感情交流的最初始阶段。这种方法在日后一个人恋爱和工作关系的建立和处理上也有异曲同工之妙。

就像对自然和舒适感有偏爱一样，人们也同样喜欢步调一致的感觉。在育幼室里，如果一个孩子哭了，你会发现其他小孩也会马上跟着哭起来；如果你的一个朋友由于接到了坏消息而唉声叹气，默默流泪，你可能也会通过表现相似的行为流露出对他的同情。这就是为什么在葬礼上，每个人都会做出同样悲伤的表情，而当心爱的球队取得胜利的时候，人们又都会一样地欣喜若狂。一致性既能促进也能彰显社会的和谐。

## 人群中的面孔

　　生活中有一个非常有意思的现象：特务机关在搜寻罪犯时，总是会注意寻找那些在人群中与大家的表现不大一样的人。当年，在约翰·W.欣克里暗杀了罗纳德·里根总统之后，就曾有很多目击者向调查人员描述了当时欣克里略带异样的外表、行为和表情。和大多数希望瞻仰高高在上的里根总统的大众们不同，他的表现与常人不一般。在1972年亚瑟·布莱默企图刺杀乔治·C.华莱士州长时也发生了同样的一幕。与欣克里相同，布莱默当时在人群当中也显得十分奇怪，这一点在后来公布出来的现场照片中可以看得清清楚楚。

　　我们不仅能从陌生人的身上看到"一致性"现象，在熟人身上这种现象也有所体现。比如说，就在我创作这一章的时候，恰好CBS电视台想邀请我参与一档晨间节目的录制。在绿色的摄影棚里，我与一位节目嘉宾交谈甚欢，相处融洽。由于那段时期我的脑子里一直盘算着这一章的写作，于是便想借此机会检验一下我提出的"自然表现法则"。于是聊着聊着，我突然换了个坐姿：一开始我们彼此面对对方而坐，双腿微微分开，双手放在大腿上。随后，我趁大家走进演播室的间隙突然将左腿放在了右腿的膝盖上，脚尖直冲着门。哪知道那位男嘉宾立马挺起身子，也按照我的样子更换了坐姿。他调换好坐姿之后，稍停顿了一会儿，我们便又继续开始对话。

其实这位访谈嘉宾并不是有意识地要学做我的动作。真正的原因我想读者们应该猜到了：大脑的边缘系统可以在同一时间内平行地执行多项任务。人类对于舒适感的默认性偏好来源于大脑记忆，来源于生活经历，来源于文化训练。时间转变，人的思维也在转换，来来回回，循环往复。大脑边缘系统会将人的每一次经历都划归到自然与非自然这两种范围中的其中一个，通过不断调整，人会最终恢复到舒适的状态。

## 〰〰 你的文化偏好 〰〰

我们必须指出的是，文化偏好对于一个人对事物做出什么样的判断和反应同样具有塑造作用，但是这种作用始终不会压倒边缘系统的作用。这就是人人都会有边缘反应的原因。"文化"是在人的婴儿时期就开始向其灌输的，它的作用和影响是非常广泛和细微的，以至于我们这一整本书都在探讨跨文化意识的问题。

比如说，你从小生长的生活环境会决定日后你与他人交谈时彼此之间相隔的距离（在北美，等电梯时人们会对着电梯门站，眼睛盯着电梯屏幕上的数字；而在南美，等电梯的人们会转过头，面向彼此站着）、在公共场合下多长时间你会触碰他人的身体、触碰什么地方，以及你会盯住别人看多长时间等。个人空间是一个深受文化影响的概念，比如说在北美，一个人的私人空间应该从两英尺开始算起。关于这个话题，我们将在本书的后半部分与大家探讨。成长经历和社会化程度也会影响一个人舒适感的强弱。再说得明确一些，文化决定着你选择与他人谈话时保持多远的距离，而边缘系统决定着某个距离是否让你感到舒服。

最后我要说的是，其实与他人在一起时，我们可以很容易地就判断出对方和你在一起时感觉到底如何：如果觉得很舒服，那么他就会遵循"镜像法"，跟你做出一样的动作，或是做出感到自然、舒服的动作；如果对方感觉跟你在一起不太舒服的话，你会从他身上看到很明显的迹象，比如前面我们讲过的"无言的3F"：停止不动，转移逃跑，大打出手（僵硬，距离，刻薄）。对于做生意而言，就像在下一章中我们要介绍的那样，让对方感到舒服是重中之重。当双方都感到舒服自然时，交流就会更有效，你的话会变得更有说服力，合同的签订也会顺利很多。

有些人经常强调个性、思维方式和情商在判断他人所思

FBI 教你破解身体语言
LOUDER THAN WORDS
白金
升级版

所感所想中的重要性。诚然，这些因素有它们各自的作用，但是在我细数过自己几十年来生死奋战、从事间谍和反间谍工作的经验之后，我还是认为，判断一个人的感受、思想和意图时，真正管用的是"自然表现法则"，它是被实践屡次检验并证明有效的好方法。这一免费的方法对每个从商的人士来说，都是不可或缺的宝贵财富。

# FBI NO.3 第三章

## 身体语言的秘密

LOUDER

TH AN

WORDS

这一章里我们将会学习到身体的各个部位与外界进行无声交流的方式和相关词汇。阅读完本章并掌握要点之后，你会突然间发现自己开始对一些一直以来理解很模糊的概念，有了更为明晰的认识。当你再走在街上，开会，与老板交谈或是观看新闻发布会的时候，你会发现眼前的世界几乎换了个模样。同事、邻居甚至是国家领导人的一些无意举动在你眼里将不再是毫无意义的，而变成了一串串包含了深刻含义的信息流。

## 〰〰 无言的述说：基础词汇 〰〰

以下是专家们在评价非言语行为时所用到的词汇。如果你想对这些词汇有一个更为全面的了解，请参考第二章"自然表现法则：非言语智慧的基石"。

### 基准行为

当初我在 FBI 审问嫌疑犯的时候，最不愿意采取的手段就是恐吓或者把人逼到墙角。相反的，我希望他们能感受到与我在一起交谈时放松和舒服的状态。每次交谈开始之前，我都会准备些喝的东西，使他们放松下来。一旦发现被审讯者放下戒备，我便开始仔细观察他们的一举一动：从他向我走来时的姿态，到我们坐在一起时他眼皮跳动的频率，一切都在我的观察之中。

为什么要这么做？因为要想了解一个人在非自然状态下的举动，你必须先了解他在自然状态下的举动，即对方行为的"基准"。一旦他做出了某种脱离"基准"的行为，就说明他整个人处在非自然的状态下了。举个例子，人们经常认为双臂交叉是防御心理的表现，其实并不一定是这样。因为对于有些人来说，双臂交叉地站立只是一种习惯性动作。我有一个朋友就是这样，他在和别人交谈时，总是习惯性地交叉起双臂。对于他这样的人来说，不交叉双臂反而是非自然状态的一种表现了。

### 环境

所有的非言语行为都必须放在特定的环境下去理解。对于那些家中有孩子生病或是面临失业压力的人来说，紧张是一种很正常的表现。在一些非紧急、非特殊的情况下，考虑"环境"因素是必需的：在飞机上你可以观察到人们紧张的表情——一旦某位乘客遇到航班取消或是乘务人员态度粗暴的情况，整个人马上就会备感压力；被警察审问也会引发人的紧张感，有时甚至连看见身穿警服、肩戴徽章的警察，都会让我们不禁浑身发紧，不是吗？家人能让我们感到放松，而陌生人会让我们感到拘束，在办公室里和同事们在一起时总是欢声笑语，但与老板在一起时恐怕就没那么放松了。同事们就好像"家人"一样，而一旦老板回到公司，所有人都不得不在这位高高在上的"陌生人"面前谨言慎行，紧绷神经。

### 强调

"强调"是非言语行为中的一种标点符号——感叹号。当我们生气地怒指某人或是大获全胜后振臂高呼的时候，身体通过无声的动作画出了无数个惊美的感叹号。"强调"使我们向外界发出的信息富于情感，历久弥新，难以忘怀。

在谈生意的过程中，人们运用"强调"的方式来区分重要和无用的东西。如果一场谈判缺少了重点强调，那么它无异于一次家常闲聊。如果在一场生意洽谈之后连你自己都想不起自己说了什么，那么很有可能是因为你的讲话中没有重点。富有感情的话语才能被人们长久地记在心中。因此，无声的智慧与力量是非常宝贵的。有重点、有感情的话语可以在人的心中点燃一把火。运动队的教练员们也正是借助这一点来激励队员们好好表现的。

### 反重力行为

"事情总会变得越来越好"是人们积极乐观心态的一种表现，它与人的非言语行为有着平行呼应的关系。当人感觉不错的时候，一切动作都是"向上"，而不是受重力影响"向下"的：眉毛会向上抬，下巴会向上抬，甚至是脚趾也会向上抬。我在课上曾多次目睹过学生在课间收发短信的情景：如果接到了一条好消息，他们的脚趾会马上跷起来；又比如在会议室里，如果一个人把交叉的双手中的大拇指跷起来的话，他肯定是在发出某种积极的信号。

### 触觉论

触觉论是一门研究人的触碰方式以及它会带给人哪些感觉的学问。通过触觉论的研究发现，当你与一位工程师都去触摸手机或者电脑的按键时，工程师会对这款手机的屏幕或是电脑键盘的制作材料、制作方法等作出更为灵敏和快速的反应。触觉论的研究范围也包括人与人之间如何相互触摸。比如妈妈对孩子的温柔爱抚，这就是一种形式的触摸。我曾看见过一个小男孩爬到爸爸的跟前，把爸爸的下巴弄成了八字的形状，当时不由得感到这是一种多么温馨的父子之爱啊。

### 动机暗示

在大多数情况下，人在说出自己的某种真实意图之前，他的身体动作就已经"先行发言"了。这些动机的暗示是一种非常有力的意图指示标志，所以我们要随时注意这一点。在与老板交谈时，如果你发现他的身体开始渐渐远离你，或是当你发现他的脚尖开始转向门口的方向时，那就说明他是在发出想结束这段对话的信号。不要介意，你的老板只不过是在说"我得走了"。不管出于什么原因，当一个人做出这样的动作时，他往往是在表明现在自己需要一些私人的时间或是空间。这时候如果你能够以合适的方式使他离开，他会非常感激你的。

## 动作学

动作学是研究人的动作，尤其是四肢动作的一门学问。有些人总分不清动作学和非言语行为两者之间的差别。事实上，非言语行为的概念要比动作学更广，它包括面部动作、声调、眼神、自我触摸、衣着、个人装备等，而这些只不过是非言语行为概念中的一小部分而已。动作学的概念在20世纪70、80年代非常流行，当时很多著作的标题中都含有"动作学"一词（比如"动作学访谈录"）。如今这门学问的用处已不明显。

## 微动作

微动作或者微表达（这两个词汇是由著名研究学者保罗·艾克曼创造的）指的是极快速但又寓意深刻的非言语行为。由于这些动作是在极短的时间内作出的，人的意识无法控制，所以它也是最真实的。微动作所表达的人类情感多与负面或消极的意义有关，所以它也为我们了解别人真实的感受开启了一扇窗。微动作的种类很多，但在生意场上，有一种微动作不能不知道，那就是收紧下眼皮。尽管这个动作非常微小，难以察觉，但它是一个人感觉不舒服、不满意的明显表征。每当几个咨询律师之间商讨修订合同的方案，尤其是说到反对提案的时候，这种动作是最常见的。

### 抚慰行为

抚慰行为一般适用于安慰某人或是将某人从紧张不适的状态中摆脱出来，让其重获轻松愉悦之感的情境之下。任何形式的自我触摸、摩擦或是拥抱都有明显的安抚意图——比如人在等待医生下诊断书时，往往会通过玩弄发卡或项链的方式来缓解紧张。人还会通过触碰，覆盖自己身体中脆弱或是暴露在外的部位的方式，来使自己平静下来（比如揉搓脖子、捏下巴、摸耳饰或耳垂等）。一天当中，人可以通过很多不同的方式达到自我抚慰的目的：当遇到难题时，我们会摩擦自己的额头；见新老板之前我们会调整好领带，将头发梳平；说起某位同事突然被解雇的事情时，经常能看到说话者做出蜷缩上身，用双臂紧紧地护在胸前的动作。总之，当人感到不安全、紧张，或是害怕的时候，一定会作出某些能达到自我安抚作用的举动。

在这本书后面的写作中我将会经常使用"抚慰行为"这

个词。因为这个词可以准确地向别人传递出你某时某刻真实的心理感受和状态。人类做出的自我抚慰行为从某种程度上看，可以被视为大脑与身体对话的一种方式。大脑通过它告诉人的身体"请镇静下来"。当人感到压力、恐惧、害怕、疲劳，试图使自己镇静或是集中精力时，经常会做出这样或是那样的抚慰行为。如果你看到某人做出这样的动作，你完全可以主动过去帮助减少对方的伤感情绪。

**空间关系学**

空间关系学研究的是人与人之间的距离以及人如何利用空间的学问。空间关系受等级（社会和经济等级）、文化、环境和个人舒适度因素的影响。当人感到自己的"空间"被侵犯的时候，马上就会做出敏感的反应。想象一下，在 ATM 机旁、商店结款台的队伍里，或是电梯上，有一个人鬼鬼祟祟地站在你身旁，我相信他的这一举动一定会让你感觉很不舒服，并且会打乱你的注意力。无论是与他人坐在同一张桌子上，还是与来自不同文化背景的人交往会面，注意空间关系都是一个非常重要却又常常被人忽视的问题。这一问题处理得好不好关系到你能否影响他人、创建和谐、表达权威及树立地位。

**同步性**

正如我们在第二章中讲的那样，同步性是人自然而然地表达协调关系的一种方式。就如处在热恋中时，爱人之间会一起缓步于公园之中那样，身体的一致性表达出的是心神合一、人我合一的感觉。也正因如此，我们的日常生活才变得丰富多彩起来。

同步性的例子在生活中比比皆是，我们可以很有意思地观察到，人们在日常生活中对于同步性是多么重视。在体育比赛中，我们常会为跳水和游泳运动员动作的一致性而拍案叫绝；全世界的人民无一不为 2008 年北京奥运会开幕式上 2008 位表演者一齐击缶的盛况而倾倒；还有军乐表演队伍所列出的整齐划一的队形；华盛顿无名烈士陵园和白金汉宫前士兵庄严整齐的换岗；某些特定行业的人会身着统一的制服等。这些视觉上的一致性会使人们有团结一致、以一作十之感。在婚礼上我们也不难看到一致性的存在。在有些婚礼上，伴娘会特意和新娘穿上同款式的礼服，以彰显她们间的亲密一致。总之，服装（统一着商务西装）和行为上（与老板以同样速度的步伐行进）的一致能创造出和谐的感觉和气氛。

在大多数情况下，一旦人们步调不一致了，就容易出现不和谐之音。无论是在生意场上还是朋友圈中，这种不和谐之音都会破坏人与人之间的良好感觉、沟通效果或是亲密关系。

### 划定自我空间

通过"划定空间"的方法，人可以表达出自己对于私人空间的需求。在任何一种文化中，社会地位越高的人占有和被赋予的空间、财产越大、越多。这些人往往号称自己拥有比普通人更多的"空间"。当年哥伦布在伊莎贝拉女王前请求对他美洲发现之旅给予资助时，站得离女王的王座至少得有好几码远。然而当这些征服者们来到今天属于墨西哥的这片土地上时，他们发现在那个新的世界里，普通人与王室成员之间同样也要保持一定的距离。

在当今世界，人类"争取自我空间"的现象仍然是随处可见。从温布尔登的总统包厢到总统车队的汽车数量，再到交通高峰时段时一个人在地铁上要占两个人的位子，人类为自己争取与个人地位和需求匹配的空间的行为并不鲜见。在商业领域里，划定自我空间可以体现在争取角落里的一间办公室，争取一张宽阔的书桌，或是一个人张开双臂占据两张椅子等很多方面。人的地位越高（无论是现实中的还是自认为的），越是需要更多的自我空间。

## 无声的身体语言

听到下面一点时，你或许会感到很惊奇：要想了解一个人的所思所感，有的时候，脸部是你最不需要关注的地方。我们从小就受社会中某些价值观的影响，以为通过自身丰富的面部表情可以获取他人的怜爱、保护和褒奖。我这么说并不是要否定面部表情在表达个人情感中的作用——实际上，在本章的后半部分你将会了解到，连人的眼皮都会成为你真实情感或意图的"背叛者"——但是人的身体动作往往是与他面部所表达出的东西相悖的。真正懂得非言语智慧的专家都深谙这一点，所以他们会对人身体其他部分所传达出的信息给予同样的甚至是更多的重视。这也是我们这一章所要重点讨论的内容。在这一章里，我还将教会大家如何通过观察一个人的衣着和配饰来解释他的行为和动机。

### 腿和脚

脚总是能够如实地表达一个人的感觉和意图。所以，脚总是我每次最先愿意谈起的话题。自前古时代以来，脚和腿一直就是保障人类生存、帮助人类逃离危险、用踢打的方式自卫的重要工具。没有它们，人类就不能打猎、收割、迁徙，交配或者舞蹈。脚和腿的动作可以告诉别人你的感觉如何。自信？轻浮？高兴？紧张？受胁迫？害羞？还是想要离开？甚至连你想以什么样的方式离开，腿和脚都可以告诉你。

#### 轻摇腿和脚

我们每个人肯定都在学校、会议室或是约会中见过或做过这样的动作：躯干保持静止，但是腿和脚趾动来动去。这样的动作代表什么？一个上身保持不动的人轻摇腿脚是他不适或者不悦的一种表现。他可能是有些不耐烦或是希望尽快将事情的进度向前推进，所以才做出这样的动作。

但是，轻摇腿脚有时也可能是人对于某个好消息所做出的反应。这种情况下，我称它为"快乐的双脚"。有几次我和一些专业的扑克牌玩手打交道，我发现当他们拿着一手好牌时，"快乐的双脚"就会在桌下摇来摇去，可脸上却绝不会露出一丝一毫的变化。人高兴或兴奋的时候，总会忍不住手舞足蹈，上蹦下跳。就像最近塞利娜·威廉姆斯赢得网球联赛冠军之后不也是兴奋地跳了起来吗？

然而，一旦腿脚的轻摇变成了"踢"的动作，那就代表当事人对于周围发生事物的回应可能是消极的，恨不得一脚将它踢开。还值得一提的是，脚踝部的来回扭动也是一个人压力大，怒气冲冲或是失去耐心的表现。

重复性的动作一般都有安抚和平静心情的作用。但是如果重复的次数过多就是一种紧张或病态的表现了。重复多次的洗手实际上是一种心理安慰的方式，但一旦变成强制性的，那就变成一种疾病了。

### 脚的指示作用

如果一个人把他一只脚或者两只脚的脚尖调整到远离你

的位置上，那是一个很强烈的暗示——他想要离开。可能是因为你们之间的对话让他感到不舒服，可能是因为他马上要去开会或就要迟到了。这时，对你而言最明智的做法是：马上机智地结束对话。我曾观察到很多这样的现象：员工在跟老板说话，而老板的脚已经渐渐离开了（或臀部已经稍微移动），这就证明他肯定有什么事情要去办，需要尽快离开。这时要么员工自己主动离开，要么还不如干脆不出现。

### 反重力的脚

正如前文所讲，反重力行为一般是一个人感到满足和开心的强烈信号。不妨观察一下你的老板打电话时的样子——如果生意谈成了，他恨不得会跳着小步，趾高气扬地从办公室走出来，不是吗？

　　很多谈非言语智慧的书籍都几乎不会谈到脚，但是脚却是指示一个人大脑运转情况以及承载大量信息的关键身体部位。在纽约居住时，我的一个老同学曾叫我和一群小混混们一起看影碟。听到这，小混混们那种拿到钱后走路一颠一颠的样子马上就映入了我的脑海。从他们特有的走路方式上，我就可以准确地判断出这些孩子今天的心情如何。

### 蓄势待发时的动作

　　蓄势待发时人作出的动作是反重力的。人坐在椅子上，一脚前一脚后，重心放在拇指肚上。人们通常会在特别感兴趣的事物面前做出这种动作（"快告诉我！我对你说的特别感兴趣！"）。这个动作也可以代表已经做好准备，可以出发了的意思。当你和一位比你年长的人说话时，一旦发现他做出这种动作，你需要赶紧问问他是否还有什么要补充的，或是技巧性地结束谈话，因为这个动作表明他可能是有别的地方要去，总之需要离开这里。

## 双腿叉开

双腿叉开是一种人要捍卫私人空间时常做的动作。它可以代表"这是我的地盘，我谁都不怕"或者"在这儿我说了算"的意思。当一个人想引起别人的重视，怕被别人看扁的时候，常会做出双腿叉开的动作。在公司经理的身上你肯定经常能看到这一动作；当然还有在警察身上，他们通过摆出叉开双腿的动作来表示自己的威严和控制力。人在坐着或者站着时若是将双腿叉开，那是一种极强的自信感、权威感、控制感和威胁感的象征，但是说话人具体想表现的是哪种感觉依情境而定。所以，在你想帮助化解紧张空气前，不妨先看看周围是否有人做出了叉开双腿的动作。相反的，将双腿收拢，减少一些对私人空间的要求则是一种快速缓解紧张感的好方法。

## 双腿交叉

人在站着的时候交叉双腿是一种舒服和放松的表现。在这种姿势下，人不可能逃跑或是争斗，边缘系统会自然地发出禁止作出上述两种行为的信号。除此之外，我们还经常看到同事之间在进行头脑风暴，或是两个挚友站着聊天时会出

FBI 教你破解身体语言
LOUDER THAN WORDS

白金
升级版

现这样的动作——两条腿在膝盖处交叉。因为当两个或多个人同时作出这种动作时，往往可以帮助培养和营造和谐舒适的工作或者交谈气氛。

　　如果你和一个人并排坐着，对方双腿交叉方向的不同，蕴涵和传达的含义也是不同的。如果你们双方交谈得很愉快，那么对方放在上面的那条腿的脚尖会指向你的方向。相反的，如果你们双方交谈得不愉快，那么对方放在上面的那条腿的脚尖不会指向你的方向。若是以前你没有观察到这一点，以后一定要注意观察一下身边的人，看他们是如何通过变化腿的位置来推进和增强交流的。

## 双脚在脚踝处交叉

无论人们作出把双脚在脚踝处交叉还是用脚踝绕住椅子腿的动作，表现的都是担心或焦虑的心理情绪。一旦在对话中有一方作出了以上这两种动作中的一种，那一定是发生了什么不愉快的事情。很多女士在坐着的时候都爱把脚踝交叉，但是长时间的交叉会限制大腿的自由活动，是人强烈的警惕心理的表现。

## 揉搓大腿

人用双手在大腿上来回摩擦是一种常见的平复心情、减轻压力的方法。在聚会上，我们常看见有宾客会一边揉搓着大腿一边观察周围，看找谁可以聊聊天；一位刚刚接到不满意的工作回馈报告的雇员也可能通过做这个动作来缓解内心的焦虑；正被预算超支搞得焦头烂额的经理靠这种举动来使自己保持平静和专注。人往往在巨大的压力下，或是碰到极坏的消息时会不由自主地用双手在大腿上来回摩擦，有时甚至连自己都意识不到反复摩擦了多少遍。

## 人的躯干

请想象这样一幅图景：当你过马路的时候，突然有辆汽车闯了红灯，直奔着你而来。你吓得浑身发抖，连跑的时间都没有，只能等着汽车撞向自己。

当读到这里的时候，你的身体是否想作出什么动作？可能你已经感到自己的身体开始下意识地移动——弯腰、躬背——为的是保护自己重要而又相对柔软的胸膛或前身。所有这些身体上的下意识反应，都是大脑边缘系统在起作用。

躯干，又被称为人"最易受攻击的地带"——尽管它是人身体中极其脆弱的一部分，但却包含着许多重要的生理器官，比如心脏、肺、胃和生殖器，就连动物也会精心保护这一部分：如果你踢一只猫的肚子，它会马上把你当成一只要攻击它的食肉动物，立即把身体蜷缩成一团，然后用后爪上下蹬踹，以便尽快把自己的肚子保护起来，并同时伺机给"敌人"以有力还击。

与其他哺乳动物比起来，人类由于直立行走，身体的曝露面积很大。所以我们的躯体或者腹部运动会强烈受到边缘系统的控制。同时，这些运动还对一个人的舒适程度有着明显的指示作用。

## 腹部前倾和腹部收缩

在旅途中，我从来不曾厌倦的是看到当一个人见到自己喜欢或者熟识的人时，那种相互寒暄的场景。他的身体会前倾，双臂张开，完全将身体释放开来，给对方一个大大的拥抱。这是对"腹部前倾"这一概念最完美的阐释。当我们对身边发生的某一件事有积极的心理感受时，就会将身体倾向那个给我们带来美好感觉的事物，即使是将自己脆弱柔软的部分暴露在外也没关系。腹部前倾也是表达尊重的一种简单而有效的方式：如果你想和一个人讲话，而他却始终背对着你，连看都不看你，谁都知道那一刻你的心里会感到多么的羞辱。这就是我们老是听人说"别总背对着我"的原因。

然而又有哪些事情会让我们收缩腹部呢？面对那些令我们烦躁和讨厌的事物时，人会不由自主地收缩腹部。这个动作或许很细微，但是从中我们也可以看出边缘系统在保护人的躯干中是多么的警觉。我之所以自己杜撰出这些新词汇为的就是告诉各位，腹部的动作在揭示人物真实内心状态这方面是多么的重要。

在会议室和办公室里摆放着的转椅让我们在与他人沟通交流的过程中，很容易就能观察到对方腹部的运动情况。如果在开会的时候你想表现得对老板所讲的内容非常感兴趣，不要仅仅就是把头转向他，不妨也把腹部前倾，身体向他的方向靠拢。如果你以一两倍于平时电影放映的速度去观看一部电影中人与人之间沟通交谈的画面，你就可以清晰地看出腹部前倾或者收缩能够多么准确地揭示出人物在彼此互动时的真实心情了。

### 躯干倾斜

人总是会将身体倾向于自己感兴趣的事物，远离那些自己厌恶的东西。这样的现象在鸡尾酒会、家庭聚会，或者是公司会议等很多场合都能观察到。实际上，人的这种像跳舞般的前倾或者后仰从婴儿阶段与父母互动的过程中就已经表现出来了。对于有些父母给孩子玩的玩具，孩子会被吸引过去，然而有些玩具，孩子则根本不会理睬。

人对躯体做出什么样的防护行为，在现实生活中往往能够告诉我们对方感到舒适的程度。有时这种行为背后所暗含的意义，就像人突然将双手交叉在胸前所暗示的含义一样明显（手指抓双臂越紧证明人越感到不舒服）。当然，有的时候，这一行为所暗含的意义也可能并不明显，就像是你以为一个人只是不经意地整理一下领带，实际上他是想用这样的方式调整自己的舒适度。将外套上的扣子全部系上也可以被看做是一种保护身体的行为，当然，它还可以被看做是当事人对某些人或是某种场合的尊重。究竟是哪一种，这要依背景环境而定。有时，整理袖口或者调整表带也是一种保护身体和减轻压力的方式。现在最流行的自我保护方法是假装看手机，因为这会让你看起来一副很忙的样子。而实际上明眼人都知道，那只是一种形式的自我保护而已。

### 耸肩和身体舒展

如果你问船行老板："为什么货物没有按时到港？"而他只是微微耸耸肩，答道"我不知道"的话，只要你再稍微试探一下，就有可能发现这里面另有隐情。真正的耸肩动作是人的上肩快速而有力地抬起，表示对自己所给出的答案很有

FBI 教你破解身体语言
LOUDER THAN WORDS
升级版 白金

信心。

　　一个人做出舒展身体或手臂的动作，尤其是把双腿也完全舒展开时，它背后所代表的含义必须要结合背景去揣摩。大多数情况下，它表示一个人觉得很舒服，就好像在与同龄人轻松地谈话时舒展开自己的手脚，并没什么大不了一样。然而，舒展手脚有时也带有主导和控制的含义，所以，在商业活动中，对于这个动作一定要谨慎做出。一般来讲，只有身居高位的人才有可能在商务场合下做出类似动作。就如同在一般的社会传统观念下，领土和权力只归社会地位高的人所有一样。无论什么时候，尤其当你只是一个职场新人时，不仅要管好自己的脑，也要管好自己的眼睛、腿脚和上身。恭敬，有礼貌，永远只往你该看的地方看。要问，什么是该看的方向？那就是你的老板的位置。

## 双臂，手和手指

下次当你经过某个工地的时候，请注意一下工地上的挖土机、推土机、一排排的铰链、电缆、皮带轮和杠杆翘板。这些都是建筑工作中的必备工具。然而这些工具所完成的任务，某种程度上就是人们日常生活中用手臂所完成的工作，只是平时我们并不在意罢了。比如人用双臂提箱子、收拾垃圾、弹奏乐器、摇摇篮——想想这些你就会发现，原来我们双臂的功能是如此的复杂，多样而美丽。

实际上，今天人类的双臂和手曾经是我们的前腿和脚。从功能上讲，双臂和手也是人情绪的忠实反映者，尤其是当它们被赋予了保护人类易受伤害的身体的职能之后。你只需要看上十分钟的足球比赛，就能观察到球员在踢球的过程中有很多防守和攻击动作是用手和双臂完成的：挡、推、抓、扔等。当然还有一些也是用手和双臂完成的：如球场上常见的拳脚相加，相互击掌欢庆胜利以及比赛失利后球员们无奈的耸肩或是僵硬的臂部动作等。

除了双臂之外，人的手和手指也可以被看做是能将外部世界揽入怀中的一套精美的生物系统。它们可以非常生动地展现一个人的内心世界：当一个人用手指如鹅毛般轻轻触碰某物时，往往表现了他对这件物品的好奇、敬畏或者怜爱。由于人的双臂、手和手指无一不具有强大的表达功能，所以我总是强烈建议读者好好研究研究身体这几部分的运动含义。因为在试图解释他人的行为之前，先要充分理解对方非言语行为的基准点在哪里。

文化在人的手和臂的运动方式上也起着很大的作用。如果你有机会到地中海国家看一看就会明白我说这话的意思了。手在当地被视为一个极富表现力的东西，那里的人们可以做出不计其数的手势，而且每个手势都有着不同的含义。但是尽管如此，人们对手势的边缘反应都还是一样的。

## 手臂所表现出的自信心和主导意识

将双手紧紧地插在腰间，大拇指朝内，双肘撇向外侧，即我们平时所见的双手叉腰的动作是一种典型的主导意识的表现——这也就是我们经常在执法人员、军官或安检人员身上看到这样的动作的原因。当然还有家长：我小的时候每次回家迟了，妈妈都会以这样的动作迎接我进家门。她似乎是在告诉我"我有点事情要问问你"或者"这次可没那么容易过关"。

女人总是能够很敏感地察觉出男人在自己身上施加的控制力。叉腰的动作是一个很强的意识信号,观察时要特别留心动作发出者大拇指的位置。如果叉腰时大拇指冲后,说明这个人有着极强的控制欲;如果冲前,则是一种疑问态度的流露。

无论是在很随意的社交场合还是在办公室交谈中,双手叉腰的举动都十分常见。就像前文所讲的舒展身体一样,双手抱头也是一个带有强烈的自信和主导意识色彩的举动。这样的行为在同事面前做一做倒也可以,但是在老板面前可是万万做不得的,因为只有老板才有权在下属面前摆出这样的姿势。万一老板进来时你恰巧正双手抱着头,懒洋洋地躺在座椅上,一定要提醒自己马上停止下来。

　　除了双手抱头之外，还有的人喜欢在台面上展示强势作风。舒展双臂，五指岔开。这个动作虽然很简单，但是它背后所附带的含义却是十分深刻，所传达出的信息内容也是十分丰富的。在台面上展示强势作风，从好的一方面来说，是展现自信的象征："我知道自己在做什么。"但从另一个方面说，它也是一种强烈的控制欲的象征，就像把自己的手臂伸向别人的地盘一样："这儿我说了算。"它甚至还可以是一种傲人的霸气的象征："都竖起耳朵给我听好！"这里补充一句，如果说话人同时还伴随着身体前倾的动作的话，那么它还有可能是一种示威的象征，它可以使说话人的形象看起来强大权威。

　　有的人不仅会在会议桌前舒展身体，手里还喜欢拿着点儿东西，比如纸、水瓶、笔记本和电子产品等。这些动作的含义究竟为何，还是要放在具体的情境下去理解才能找到答案。这样的举动到底是反映了当事人由于对周围环境很熟悉而感到自然和放松，还是想展示他的权威，或是想给别人留下一个很有威严、很有权力的印象？

　　其实生活中大多数的人都容不得自己的利益和空间受到一丝一毫的侵犯。但这里要提醒读者们的是，在留心你自己的物品和空间的同时，也别忘了尊重他人的物品和空间。没有经过他人允许前，不要把自己的东西放在别人的桌子上。还有，不管发生什么事，都请不要坐在别人的办公桌上。

## 收回双臂

如果一个人将自己的双臂收回——通常是将手放在背后——那么这是他希望与讲话人保持一定距离的意思。这样一个一直以来都被人们看做是颇有威严感的动作，实际上是在向外界发出信号："别靠近我，别碰我"，或者也可以被理解为"我在你之上"的意思。我们经常能看见王室成员在接见平民百姓，或是老教授们在教室里踱来踱去时会做出类似这样的姿势而很少会在蓝领工人身上看到这样的动作。

当然，这个动作也可能表明当事人的脑子里正在处理某些信息，或者正在思考着什么。在这个时候，不妨与对方保持一个适当的距离，等待合适的时候再上前与他进行交流。既然对方一时间脑子不在这里，又何必强求呢？总之，当别人已经发出了希望独处的信号时，就务必要尊重他们对于个人和私密空间的需求。

## 双手：事关第一印象的好坏

出于生存的需要，人类总是特别在意身体运动机能的好坏。由于人类灵巧的双手既能够极大地丰富生活（喂养、搬运、保育）又能够给予他人身体上的攻击（击、抠、杀），所以一直以来人就对自己手部的运动十分看重。手是事关人类保护自我安全的重要部位，一个人的手给他人什么样的第一感觉，直接影响着别人对他的评价。

首先，请保持双手的清洁。每个人都有一种天生的喜好，那就是希望和健康而又有精神的人打交道。一个人的手可以直接反映他的生活状态：手一定要保持干干净净（对于男人来说还要特别注意指甲盖的卫生），千万不要在手上或指甲盖外皮上留下任何污物。不要抠指甲或者咬指甲，这样的动作是人缺乏安全感时才会做出的。

手部清洁卫生对于从事与健康和金融等相关行业的人来说尤其重要。销售人员在每次给客人展示商品之前，首先要保证自己手部的清洁。据我所知，很多珠宝商的手都是既干净又漂亮的，因为他们知道自己所要展示给客户的不是一般的商品，而是价值连城的珍宝。根据最新的研究调查显示，令人感到最厌恶的莫过于那些留着长长指甲的人。所以我们的指甲一定不能过长或者过于粗糙。

如果你是一个爱修指甲的女士，那么一定要注意将自己的指甲保持在一个适当的长度：毕竟它们是指甲，而不是魔爪。留着长长的指甲出席商务活动是坚决不能被允许的。这不仅仅是我个人的看法，长指甲的人在社交场合里既不受男士的欢迎，也不受女士的欢迎。

不要把手藏起来。记住，我们判断一个人手部动作的含义靠的是大脑的边缘系统。一般来说，从事安全工作的人员

FBI 教你破解身体语言

LOUDER THAN WORDS

升级版 白金

都十分看重一个人的手部动作。即使到了今天，我已经从 FBI 退休这么多年了，还是会对那些接近我的人的手非常警惕。正如执法人员们所熟知的那样，一个人只有用手才可以伤害到另一个人（你如果偶尔遇到了车被警察拖走的情况，一定要马上将窗户摇下来，主动低头致歉，千万不要存有侥幸心理。警察会非常感谢你的这一行为，甚至有可能因为这个使你免予被开罚单）。

　　我经常告诉企业的老总们要让手为自己工作。如果遇到特殊情况（比如表达同情时），手可以安分一些。但是大多数情况下，我们还是需要双手来为自己"干活"的。有些人很少使用或者露出自己的双手，这一点并不可取。想想看那些最具说服力的演讲家们，哪一个不会用双手的动作去吸引观众的注意力，用双手的动作去强调自己想要强调的东西，用双手的动作将文字赋予情感和魅力呢？

　　如果你负责管理一个团队或是销售产品，一定要学会借助双臂和双手的力量去传递信息。让它们成为你思想的框架，韵律的指挥棒，情感的缓冲垫，力量的标志和谦卑的证明。

　　在私人场合中，你不妨试着通过模仿对方动作的方式来建立双方的互信与和谐。记住，同步的就是和谐的。另外，千万不要忽视人与人之间身体碰触的重要性。在很多商务场合里，合作双方身体之间发生适当的触碰是绝对合理的，它可以帮助我们达到强调重点、吸引注意力、适时插话和表示祝贺的目的。只要程度适中，有助于提高沟通质量，那就没有什么不可以的。

关于双臂和双手，还有一点值得提示大家注意：千万不要用手对他人指指点点。没有人喜欢被别人指指点点。尤其是在某些文化当中，"指"是一种非常不礼貌的冒犯行为——所以当自己还对某些文化习惯不清楚的时候，千万不要用手对着他人指指点点。一个比较聪明的做法是，当你想要指某人或者某物时，不妨把手掌完全打开，掌心向上。这样既可以达到同样的指示效果，又会让人感觉热情热心，毫无冒犯之意。

### 表示自信的手部动作

用食指弹碰桌面是说话者强烈自信的一种表现。律师、法官、大学教授和公司高管们经常会（无论是偶然为之还是训练出来的）在他们的讲话或待人接物中通过这种动作来展示自信的一面。

食指弹碰桌面这一动作还有一大好处，那就是它可以帮助你放大你所要传递给他人的信息。在主持会议、作公共演讲或是工作报告时，适时作出这一动作可以让大家感觉到你

FBI 教你破解身体语言
LOUDER THAN WORDS

白金
升级版

对自己所讲的东西非常有信心。几年前曾有人认为演讲者不该频繁地用食指弹碰桌面，把这种观点从你的脑中清除掉。请相信，人是完全可以通过观察他人的这个举动，来判定他到底对自己所说的哪一点是十分肯定的。

顺便提一句，有时候我发现女性对于食指弹碰桌面这一动作的使用很不充分。其实女性完全可以充分利用这一点，去力争和男同事们取得平等的地位。陪审团一旦看到证人边陈述边做出这个动作，就会更加倾向于相信他的证词。从某种程度上讲，食指弹碰桌面和做扭手的动作起到的效果是完全相反的。因为如果一个人扭动自己的手腕的话，就证明他在某个问题上"存有疑惑"或者"没有自信"。

大拇指朝上或是向外撇也能够说明一个人非常自信。其实我们不妨回想一下，生活中医生和那些身居高位的人经常会一边说话，一边从口袋中跷出自己的大拇指。如果我们隐藏起大拇指（试一试：把大拇指藏在兜里），那给外人的感觉可就完全不一样了。那样做会使一个人看起来很没安全感。所以当你在申请工作或是领导团队的时候，千万不要把大拇指藏在衣服里，那会降低你的威信力。除此之外，你还不妨多在饭桌上注意一下每个人手的摆放位置。一旦某个人有不安全的感觉时，他就会把大拇指隐藏在其他手指之内。

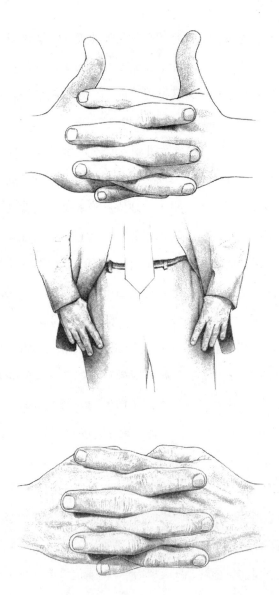

## 缺乏自信时的手部动作

一个人在缺乏自信的时候往往会做出各种手部摩擦的动作，比如两个手掌之间摩擦或者一只手的手指在另一只手的手掌上摩擦。手部摩擦动作的速度和力度是由边缘系统唤醒的程度决定的。手指在摩擦的过程中有可能交叉在一起，使得最终整只手随之扭动起来——这样的动作是大家公认的，代表当事人深深的忧虑情绪的典型动作。

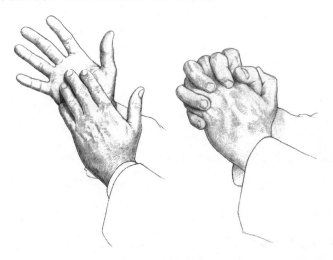

我见过最极端的一种人类释放自身压力或是自我纾解的方式就是：两个手掌之间搓来搓去。这种行为一般只会在那些心理压力十分沉重或是被严重的不安全感所困扰的人身上才会出现。我发现凡是那些处在焦急等待中的人几乎都有类似这样的举动，这个动作就好像一个信号似的，向外界传达着：我的心中正充满压抑和疑虑。

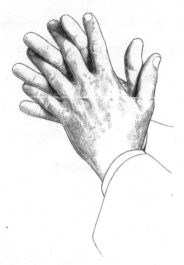

　　另外还要提醒读者的是，人的手部运动还可以揭示他的心理变化。举个例子，有的时候你会发现一个人的手本来很放松，但是突然间开始反复摩擦或者扭动起来；或者相反的，有的人会突然间像"冻住了"一样，停止活动，动作僵硬，将双手隐藏在大腿内侧。这些动作都是在暗示这个人此刻的心理状态是很没有自信或是感到很不舒服，不适应的。

　　我在 FBI 审问犯人时，特别关注犯人的手部动作，尤其是那些会把手隐藏起来、消失在他人视野中的举动——还有一种举动尤其值得注意，那就是有些犯人会将双手放在臀部下，然后整个人坐在手上。将双手隐藏起来往往是动作发出者内心紧张、不适的表现，而且往往人在说谎或是做了坏事被抓个正着时才会做出这样的举动。坐在手上这一动作往往是不安全感的直接反映，因为做这个动作的时候人的双肩会自然向上耸，直至耳部，而这又恰恰是另外一个没有信心或是极度没有安全感的典型表现。

### 一个敏感的话题

前面我们已经讨论过手在人自我安慰和纾解的过程中所能起到的作用了。实际上，手不仅对个体有这个功用，还是人与人之间联系和沟通的重要工具。研究表明，身体的触碰有利于健康，它可以降低心跳速率、减缓紧张感、延长寿命、增进情感。当人与人之间发生触碰的时候，身体中会分泌内啡肽（这也是情侣之间手拉手的原因）以及催产素，会对人之间感情的增进产生效用（无论是对父子、兄弟还是情侣）。研究者发现，身体接触对于孩子的成长特别关键，尤其是对孩子的社交能力和智力发育非常关键。一个在这方面有着严重欠缺的孩子，情感和智力的发育水平也会比较低。当然，人绝不仅仅只在年轻的时候才需要与他人的身体接触，这一需要是贯穿每个人的一生的。

我相信，在生意场上一些适度的、礼貌性的接触也是必要的。与所有的非言语行为一样，身体接触的关键在于要了解对方的舒服程度和社会习俗，要应情应景。我的朋友们都知道我天生就是个喜欢拥抱的人，但是我也知道，有些人并不喜欢过分亲密的身体接触。非言语智慧的一个重要任务就是要用它去发觉和了解其他人对于距离和联系的需要。如果你去拜访一个退休老人的家，那么你会发现老人是多么需要与他人的交往和接触。这也正是现如今"拜访狗"变得如此重要和走俏的原因。

在不同的情境下，我们要分辨出什么样的举动是合适的，什么样的举动是不合适的。例如男女员工之间，不同文化的碰撞之间，什么样的行为才能让双方和周围人都能接受（比如说在拉美国家的男人之间，拥抱就是一件很普通的事情。拥抱时他们要胸贴着胸，双臂要紧紧抱住对方的后背）。

另外，我们可以用力量和观察来判断对方对于身体触碰的接受程度。正如我在这一章里面讲到过的那样，与陌生人会面时，能够使双方都感到舒服的最佳方式就是在走向他的过程中放松双臂（证明我是冷静的），腹部朝前（证明我很信任你），如果可能的话一定要将你的手露在外面（证明我不会伤害你）。握手之后，你可以小步向他的侧面或者后面走几步，看看对方的反应如何，看他是选择走近你还是远离你。从他的举动中可以看出这个人对于个人空间的需求是大还是小。至于与人握手时应该注意的东西，请看第七章。

我希望在商界打拼的有识之士可以提高自己在非言语智慧这门学科上的能力，我们将一起学习如何在与人的交往中更好地利用身体接触这个技巧来建立与他人之间简单而良好的关系。全世界的人，每天都会发生身体的接触，这并不是什么奇怪的事情。只要是被用于合适合理的地方，即为了更好地与人沟通，那么人与人间的身体触碰肯定是在人际交往中有它积极的功效的。

### 头、脸和脖子

只要你留心观察就会发现，人对于脸部表情的变化有不可思议的洞察力。即使是刚刚降生的小婴儿也懂得关注表情的变化：如果有人冲着他做出难看的表情，小婴儿就会马上放声大哭。如果从人类繁衍生息的角度来说，读懂他人脸部表情的含义比和他人之间建起合作纽带，传达重要信息或者联合起来共同对抗困难的能力还要重要。人的脸部下面有一个复杂庞大的肌肉网，它可以做出成百上千种不同的表情，从而在第一时间表达出人类的情感、思想和感觉。人的脸部肌肉有着多种多样的运动机能和运动组合，它使人可以在短短的几秒钟内就传达出一连串的非言语信息。

正是由于脸部表情在人际交往中是如此的重要，所以我们才从小就被教育"不要把真实的感觉全都写在脸上"。由于这个原因——同时也由于脸部表情是如此的多样且细微——人们更要对人脸部微小的动作留心。同时还要把人的脸部动作和我们前面已经讲过的其他身体动作联系在一起分析：比如躯干的动作，双臂和手的动作，当然还有人人都有的那双"诚实的脚"的动作。

除此之外，一些固定的身体信号所表达的含义也是非常关键的：当一个人口中的语言和脸部表情所表现出的东西不相符合的时候，或者是当你在一个人的脸上既发现了自然放松的痕迹，同时也抓住了紧张慌乱的蛛丝马迹时，那么一般要以后者为信。为什么呢？因为人的边缘系统所做出的无意识反应，无论是在速度还是可信度上都要优于在有意识下做出的反应；同理，通过非言语动作所表现出的内心慌张、不适的情感也一般会比欢乐、喜悦的表达更为真实。在很多情况下，人都是不得已装出"一张高兴的脸"。无论他嘴上说什么，脸上那些不悦、鄙视、失望或者冷漠的表情已经足以说明一切问题。

## 头和脖子

人只有在感觉非常舒服的时候才会倾斜头部，尤其是将自己的头倚放在他人的身上。倾斜头部时，颈部自然就会露出来，这可是人的身体中最为脆弱和容易受伤的部分（人所吸入的空气、吃进的食物和体内的部分血液和神经都会集中在这个部位）。我经常说，一个人在焦虑、害怕，在陌生人或是不喜欢的人面前是根本不可能做出倾斜头部的动作的。不

FBI 教你破解身体语言
LOUDER THAN WORDS
白金
升级版

信你可以注意观察或者试试看。这也就是为什么人在生意场上很乐意看见谈判对手做出轻轻偏头的动作，因为那说明对方的心里已放心地接受你了。

　　读者不妨留心观察一下生活中抚摸颈部的动作，这是一个典型的人在进行自我安慰、自我疏解时所作出的动作，意义颇深。当周围发生了什么不同寻常或是值得注意的事情的时候，人往往会马上用手盖住颈部的一部分或是用手护住胸骨上窝。当人感到周围有什么事骚扰到自己，威胁到自己，把自己弄糊涂了，或者哪怕使自己感到了一点潜在的威胁，总之，内心产生了不安全感时就会抚摸自己的脖子。从生物学的角度上来讲，这一点并不难理解。因为脖子是人身体中最为脆弱和最容易受伤的部分。

眉头紧锁这个动作也有它的含义，但是不同的环境下，我们对这一动作的解释会有所不同。它可以表示精力集中、关切、疑惑、悲伤或者气愤。如果一个人不仅眉头紧锁，同时还伴有触摸头部的动作，那么十有八九他是遇到难办的事情了。

就像所有的"上扬性"动作一样（例如：脚趾、双臂、大拇指），下巴上翘也是一个自信满满的代表性动作——有时自信过头了甚至会给人自以为是的感觉。在欧洲，下巴上翘是一个非常流行的动作，在俄罗斯军队正式的阅兵中，下巴上翘甚至是一种必需的要求。

相反的，收起下巴则会减少颈部外露的面积，就好像乌龟在面临危险时缩进壳里面自保一样。所以当人收起自己的下巴时，他往往缺乏自信心。

**眼睛：合，眨，斜视，以及其他一些意在与人保持距离的行为**

人的眼睛是最能反映自己如何看待周围世界以及自己身处在这个世界中的状态的一扇窗口——但是这扇窗究竟是如何反映以上内容的，也许与你先前想象的并不一样。当人看到、听到或是发现了一些令人不愉快的，或是令人恐惧的事情的时候，我们往往会迅速闭上双眼，如果更为激烈的话，甚至会立即用双手捂住双眼。但无论是哪一种，对于这样一个动作，就像眨眼一般，瞬间就能做出了。

同样的，人眨眼的速率也是受边缘系统的控制的。遇到困难的时候，人眨眼的频率就会增加。这个困难既可能是全身感觉不适，也可能是接到了什么不好的消息，还可能是因为自己说了什么不该说的话。总之，高频率的眨眼是一个负面情绪的表现。你可能也曾观察到过，当一个人在做公开发言时，如果感觉很紧张的话，他会经常眨眼；当一个人并不喜欢同事所开的毫无幽默感的冷笑话时，他会经常眨眼；当一个公众人物在记者招待会上突然被问及一个尖锐而又难以回答的问题时，他也会经常眨眼；当一个人特别急切地想表达自己的想法时，他还是会经常眨眼。请千万不要忽视这个动作，因为通过观察对方在什么时候和场合下高频率地眨眼，是判断双方关系之中不和谐之处的一个极其可信而又有效的依据。

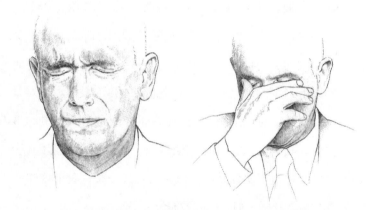

快速地眨眼实际上是眼皮紧张的一种表现。我们经常会在那些说话结结巴巴，特别着急地想要表达些什么，或是犯了错误的人身上发现这种动作。还有一些人他们想开口问点事情，但又找不到合适的词语开头，这时也难免会老是眨眼。

FBI 教你破解身体语言

LOUDER THAN WORDS

白金升级版

所以我是不会把眨眼作为判断事物的依据的，因为所有的人在某种特定的环境下都会做出这样的举动。

虽然快速地眨眼并不能直接说明什么问题，但是对做这个动作的人倒是有必要给予一定的怀疑。有一次，我和一位美国的助理法官一起参与一件间谍案审判。这位法官刚刚换了一副新的隐形眼镜，所以眼睛总是眨个不停。我眼看着陪审团的成员们开始向他投来怀疑的目光，于是就建议他赶快向陪审团成员说明情况，以免由于自己的眨眼而引起不必要的误会。所以当他开始发言的时候，他上来就先说了一句："如果你们发现我老是眨眼眨个不停的话，那是因为我刚刚换了一副新的隐形眼镜。"话音刚落，陪审团的成员们马上显得放松了许多，对他后面的阐述不住地点头表示同意或赞同。

斜视他方也是一个很常见的、想要与某人或者某事物保持距离的行为表现。我们经常通过斜视的方式躲避飞扬的尘土，刺眼的阳光，谈判中自己不感兴趣或不能认同的观点，自己不喜欢的人，医生对你提出的更换牙部根管的建议等。对于斜视这个动作，人可以在瞬间完成。当然，如果令人不愉快的事情持续发生（比如耳边有过于吵闹的音乐或是大喊大叫的小孩），那么这个动作也会相应地保持下去。另外，如果一个人不仅仅是斜视，还将自己的眼帘低垂放下的话，那就证明这个人内心抵触的情感更加强烈。就像眨眼睛的动作一样，斜视同样是一个不能被忽视的，很关键的非言语动作。

无论对于外界正面的或是负面的刺激，眼睛都会做出相应的反应——或是瞳孔放大，或是瞳孔缩小。当一个人想看清楚某件东西的时候，瞳孔会无限制地放大以吸收进足够的光线，让大脑对事物进行分辨；但是如果眼部所要处理的视觉信息是消极的，那么瞳孔就会缩小，把注意力全部集中在对人身有可能造成威胁的元素上，以便及时判断情况，争取时间逃跑或应对攻击。

俗话说，情人眼里出西施。这句话一点也不假，情人之间相互深情地对望是再平常不过的事情了。正如我们前面说的那样，当人被某种事物吸引时，瞳孔就会放大，所以情人之间相互长时间的对望并没什么稀奇的。但是，人不仅仅是对深爱的人，对于一些我们不信任的人和事也会"瞪着眼睛盯住看"。只有当我们对他人或是周围环境很是放心的情况下，眼睛才会真正放松下来，而不再紧紧地盯着。真正舒服自然地注视某物时，人眼部周围的肌肉应该是放松的，眼球自由地转动，既不会死死地盯住什么，也不会快速地移来移去。

无论是眼睛向一边看还是头向一边倾斜，其实在别人看起来都是你在斜视什么人或东西。在某种程度上，它表示了你对某事的怀疑或是不信服。下次再开会并有人发言的时候你不妨环顾一下周围，你会发现以上我们讲到的这些生活中的非言语动作绝不仅仅只是发生在几个人的身上。

　　眉毛上扬属于我们前面讲过的"反重力"动作。眉毛上扬时人的眼睛会相应睁大，眼部吸收进更多的光。同时，这个动作也可以用来表示对他人的肯定。这也就是为什么我们和家人或者朋友见面时，眉毛总是上翘的。又比如在老同学的聚会上，当你看见了昔日共处一室的舍友或是当年心仪的对象走进房间的那一刻，眉毛立马就会上翘，瞳孔随之放大，为的是能够更好地用双眼记录下这些美妙的时刻。想想你最近一次去参加生日聚会时，"寿星老"走进家门时吃惊的表情就不难理解这一点了。

　　从所有这些非言语技巧中，你可以选择几个运用到日常

的沟通与交流中，或用来强调重点，或用来表达对自我陈述的满意和自信之情。

## 鼻子

很多人并不太在意鼻子，事实上鼻子也同样可以给我们传递很多信息。当一个人已经准备好做某些动作时（比如起床、散步、打架），鼻子的两侧就会膨胀并且微微颤动起来，这实际上是一种补氧的形式。

由于人的鼻翼处集中了很多神经末梢，所以每当我们闻到发霉变腐的东西时，就难免会皱起鼻子。有意思的是，不仅是在闻到变质的食物时，某笔生意做得很不成功或是对我们看见的东西心生厌恶的时候，人也会做出同样的动作。

## 嘴巴

我们每个人都曾经给予过根本不认识甚至是讨厌的人以不自然的、礼节性的甚至是虚情假意的微笑。别人也曾给过

FBI 教你破解身体语言
LOUDER THAN WORDS
白金
升级版

我们这样的微笑。真正灿烂而真诚的微笑只会给予那些我们真正信任和喜欢的人。其实，现实生活中"真笑"与"假笑"之间的区别就在于眼部肌肉，更准确地说是眼轮匝肌的活动上。

人若是假笑，嘴角会直挺挺地向内收，嘴唇是合着的，眼部几乎没有什么变化。然而若是发自内心地笑的话，嘴唇会向颧骨处上扬，露出牙齿，眼部周围的肌肉跟着活动并出现"微笑线"。眼睛也会相应地起一些变化，瞳孔放大，眉毛上扬，使人变得更为兴奋和愉快。在所有的人体动作中，恐怕没有什么能够比微笑更加有魅力，有力量，也没有什么能比微笑更受他人欢迎的了。

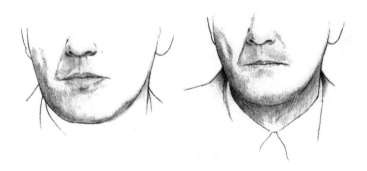

相反的，当人处在紧张和沮丧中时，嘴往往是合着的。这是一个非常简单的大脑边缘系统做出的反应。不仅仅嘴会合起来，就连双唇的肌肉也会变得紧张起来。随着人感到的压力越来越大，嘴唇会跟着人不适程度的增加而逐渐"变小"：原本丰满的嘴唇会渐渐变得扁平，以至最终"消失"。

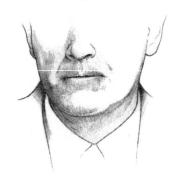

当人内心的悲伤情绪达到极点，或者负面的情绪深深地困扰着我们的时候，嘴唇就会渐渐"消失"，嘴角也会向下垂，形成倒"U"字形。

可悲的是，我们经常会在新闻报道中看到新闻人物做出这样的动作。从士兵为失去战友而悲痛万分，到灾难的生还者面对被灾害蹂躏后的家园而难过不已，再到公众人物在大

家面前承认自己在财政和性问题上的不当行为。

在与人对话、谈判和做工作报告时，要特别注意别人翘起的小嘴。因为这一动作往往表示出一个人内心的不满情绪或是不同意见。就像人会对自己不喜欢的事物敬而远之一样，嘴巴翘起的动作如果用心理学的角度去看，就是当事人要把自己不满意的意见"拒之门外"的意思。这种行为人直到成年以后还是会继续保留，尤其是在会议中，当一个人不同意他人的言论时，往往就会做出这样的举动。

舔嘴唇、咬指甲或是咬嘴唇、咬铅笔帽、嚼口香糖等其实都是人释放压力的一种方式。嘴唇和舌头是人神经元分布的集中区域，吮吸的动作是人类与生俱来的，人在妈妈子宫里的时候就已经开始吮吸了，长大之后，人在嘴唇或是舌头上的动作其实都是婴儿阶段吮吸动作的变体而已。这些动作不仅让人能够在生理上摄入需要的营养，同时还能帮助释放可以影响神经并平静心情的化学物质。

人在紧张的状态下往往会感到口干舌燥，这个时候舔舔嘴唇使之湿润一下是很自然的举动。但是在商场上过多地舔舐嘴唇（抚慰性举动）可不会使人感到更自信，反而会感到更加紧张。咬指甲和口中咀嚼的动作更是和无安全感紧密相连。如果你有这些习惯的话，那么我告诉你，它会严重影响你的职业形象，务必要分步骤地逐渐克服这些不好的习惯。

冷笑，通常表现出一个人不恭敬、蔑视或者鄙视的态度。虽然这个动作可能只是在瞬间之内做出的，但是它却可以强有力地表现出一个人内心的真实情感。当员工觉得老板或者客户的要求是占自己便宜的时候会冷笑，甚至是在背地里偷偷冷笑。有时，在一些售货员的脸上也可以看到类似的表情。我的一个朋友曾经告诉我，几年以前她去看病时，医生问了她一个本身并无恶意的问题——她的体重。但是只因医生在问这个问题的时候冷笑了几声，我的朋友便立马要求更换医生。很长时间过去了，她依然不能忘记这件事情。

### 服装与配饰

一个人的衣着打扮往往比他所说的话更能够表现他的兴趣、喜好、品位以及性格特征。在这一节里，我将着重讨论一个人的个性特点是如何通过衣着或者配饰表现出来的。对于人到底应该如何利用服饰和配饰来在他人心目中建立良好的形象，请大家翻看第五章"外表的力量"。

人们挑选服装或是其他外用物品时，要么是为了自己感觉舒服，要么是为了引起别人的注意。我们可以通过整理腰带、袖口、表带、手镯、夹克拉锁、项链、围巾以及耳环的方式使自己暂时平静或安定下来。

一个真正健康的人一定会非常注意保持良好的仪容仪表。我们之所以把自己打扮得漂亮整洁，为的就是能够以良好的形象引起别人的注意（鸟类也会这么做）。我告诫律师们一定要重视自己的外表，尤其是在陪审团人员走进审判室的那一刻。一个正面的、积极的外表（衣服和身体贴合好，腰带扎紧）可以向外界传达出这样的信息：我很在乎这场官司。所以说，一个得体大方的仪容仪表在工作场合下是非常关键的。

随着你在如何观察他人动作这方面积累的技巧越来越多，你会越来越敏锐地发现，生活中每一次人与人之间的互动都包含着"身体如何说话"的学问。也许你不能把我们所谈到的所有技术性词汇都记住，但是很快你就会发现，自己看人看得越来越准。随着时间的推移和练习的增多，你还会发现，非言语智慧会令你在人与人之间无声的交流中读出更加丰富和深邃的信息与含义——疏离、责任、谈判、瓦解、重启——那时候，所有这些现象背后的含义，在你眼中都将是再清楚不过了。

在下一章里，你将会学到如何掌控自己的非言语智慧。学会以最好的方式与他人开启一段交流与对话，使别人愿意像看待领导一样地看待你，并同时愿意接受你的领导，将属于自己的那份信任置于你的身上。在商场上，成功的窍门似乎天天在变，消费者对商家的要求也越来越高。所以说，没有什么能力比一个人能够不用一字一句地与他人之间展开高效的沟通更重要的。

NO.4
第四章

# 行为的力量

L O U D E R

T H A N

W O R D S

一浪接一浪的人群已经在法院大楼的门前聚集了整整一天，现在已经有几千人了。随着人数的增加，示威者的愤怒情绪也被层层激起：唱念声、尖叫声和咒骂声充斥在空气中。这是1985年发生在波多黎各的圣胡安法院大楼外一群民族主义者示威游行的画面。整个示威抗议持续了几个小时，就连身处在大楼内部的警务人员面对此状也忧心忡忡。很多警员从来没有见过这样大规模的骚乱。在这千钧一发的时刻，紧张的对峙随时都有可能升级为暴力事件。

此时，高级警员理查德·西德尔突然站到大家面前说："我们都冷静一下，事情会被合理解决的。抗议示威的人数在过去的两个小时内没有增加。我们就把它当做是很普通的一天，都各自做自己的工作吧。"说完他便径直向尖叫的人群走去，好像什么都没发生一样。你永远也不能想象理查德的这一举动，在当时对我们产生了多么大的影响。领导在危难面前临危不惧，镇定自若，不仅使我们佩服得五体投地，还令大家士气大振。他的行为为我们树立了榜样，并赢得了所有人的尊重，而这样的尊重是用任何语言都换不来的。

他的行为充分证明了一点：我们每个人的非言语交流不仅仅和身体的动作有关，也和我们如何做出这些动作，如何去表现有关。的确，人类的身体时时刻刻都在向外界传达着信息，人人皆是如此，但是身体的行为是由一个非常重要的非言语元素影响的，那就是态度。

前不久我应邀发表了一次演说，演说开始前我主动帮助工作人员在参会嘉宾的椅子上摆放演讲材料。大家正忙着的时候，突然有个人走进房间，没有介绍自己的身份便直接对我说："来，让我帮你一起发吧。"此刻我想，他已经不必再多向我介绍自己是什么样的人了，从他的行为中我就已经知道答案了。我相信这个人的老板一定也能看出这一点。

究竟一个人的行为是如何向别人说明他的态度、工作理念、感觉或意图的呢？这是一个非常重要的问题。因为在有些行业中，你在别人心中的形象直接决定着你个人的事业能否成功。光在嘴上说"我是一个勤奋认真的人"与用实际行动向别人展现出这一特质并不相同。长期以来的工作表现，在行为中透露出的工作态度，那才是真正可以被别人记住的东西。在商场上，我们叫它"信誉"或者"专业性"。

## 〜〜〜 你该如何表现 〜〜〜

我们每个人，无论职位是高还是低，每天都置身于周围人的观察中。我们会被别人观察——你是聪明的？可怕的？漂亮的？沉闷的？机警的？疲惫的？幽默的？无趣的？自信的还是胆怯的？见多识广的还是糊里糊涂的？值得被尊敬的还是遭人鄙视的？别人会对你做出一定的评价，这是我们每个人都无法逃避的，也是每个人行为中的一部分。所以，你到底该如何表现自己？你的行为使你看起来更像个领导者还是跟随者？别人眼中的你到底是出类拔萃的还是昏庸无能的？

让我们来看一看那些已经成功的人是如何表现的吧。举个我最喜欢的例子，他是这样一个人：全家来自牙买加，从小在纽约城南布隆克斯长大。无论走入任何一个房间，他总是散发着自信和值得信赖的气质。他总是能赢得大家的注意和尊敬，尽管非常自信却从不自我膨胀。平易近人、彬彬有礼、风度翩翩——所有这些优秀的品质，不用张口说话，只要看他的日常行为就已经足够确信了。即使开口说话，他也一定会用他的聪明才智，以及敏捷和大方的举止赢得所有人的心。

如果我们每个人都能像他一样的话，那恐怕谁都可以坐在大公司或大企业的老板位子上了。我说的这个人就是科林·鲍威尔，美国前国务卿及美国参谋首长联席会议主席。这两个头衔只是他一生众多成就中的一部分。他是如何从一个南布隆克斯的小孩成长为越战士兵最后又成为身居高位的国家领导人的呢？秘诀就是他的勤奋努力。鲍威尔非常注重模仿那些令人十分敬仰的成功人士的言行。他在军营中学会了以身作则，并最终成为典范。他善于抓住事物的要害，深谙非言语智慧在成功中的关键性作用。下面我们就来看一看你该通过注重哪些最基本又最重要的非言语动作来正确恰当地表现自己。

## ≋≋ 你的精神状态 ≋≋

非言语智慧的成功是从一个人良好的精神状态开始的。要想改变别人对你的看法首先要从改变自我开始。无论你做的是什么生意，只要学会运用不同程度和等级的非言语智慧，就可以助你从优秀飞向卓越，从卓越飞向伟大——关键就在于"非言语智慧"。

我经常在拉斯维加斯举办一些研讨会，并因此结识了一位停车场服务员朋友。他是个非常有趣的人。每天在为车主服务时，他至少能够赚到 300～500 美元。有一天，我问他："为什么你会比同行赚到的更多？"他只简单地说了几句："我永远会把皮鞋擦得干干净净的，因为没有人愿意让我的鞋印留在他车内的地毯上；我会把自己额头上的汗擦干净，因为没有人愿意让我的汗珠滴落在他的车上；有些人和车主说话时衣服都没整理好，敞胸露怀，而我每次都会把衬衣的纽扣全部系好，不管天气多热，因为没人愿意看见你的胸毛；当车主把钥匙交给我的时候我会马上上车，因为我要让车主知道我同样不想浪费时间；在打开车门之前，我会把手刹车和方向盘彻底擦干净，并把方向盘放置在正中的位置，不留下自己的任何指纹。最后，在送走客户之前，我总会对车主说上一句：'您小心开车。'"

这个停车场服务员就是这样，通过照顾好客户最关切的事情：外表、工作表现和言谈话语，才将自己的工作绩效推向了更高的高度。你的实际工作表现比成天只会把"您的满意就是我的最高目标"挂在嘴边要管用得多。我曾经多次目睹过有些顾客本已经将要给的小费拿在手里了，但就是因为看到了认真的停车场服务员在负责地为自己的车擦洗方向盘而又将手伸进了口袋，决定再多给一些钱作为奖励。只是小小的一点努力，却换来了巨大的回报。所以说，非言语智慧不是仅仅对商业经营才适用，它对我们每一个人都很有帮助。好的言行举止对每一个人都是重要的。

你是否自己也在经营公司？帮别人打理财务？是个银行家？律师？医护人员？无论你从事什么工作，哪怕就是个普通的看车人，都可以通过留心日常行为来提升自己。这是能令你与众不同，异于常人的关键所在。我们大家也都是靠着这一点，才从优秀迈向卓越。如果你有意改变别人对自己的看法，那么就必须从改变自己的日常行为做起，只要坚持下去，别人对你的看法一定会随之改变。

## ≋ 你的笑容 ≋

一个微笑可以移动一座山，也可以对他人表现充分的善意。然而就是这样一个很简单的动作却难住了很多人。现在我已经记不清在飞机上曾经有过多少次被乘务人员冷脸以对的经历了，但是当时自己和其他乘客那种难受的心情却还是深深地留在了心里。在一个和谐的社会中，人与人之间都应该微笑着面对对方。别忘了，一个人从出生到死亡，每天都在被微笑感染和影响着。人类的发展是在微笑中渐渐兴旺起来的：你可以试着给一位婴儿或是一个危在旦夕的病人一个微笑，看看他们的反应。你的微笑将使他们，无论年龄多大，体内释放出内啡肽———一种可以给人以安慰和抚慰的"良药"。

如果你花上一天的工夫好好观察一下发生在身边的微笑，你会为这样一个简单的动作所具有的万千形态而大为吃惊。在大街上遇到陌生人时，我们所露出的是一种"大众式的微笑"：嘴唇闭着，嘴角略显僵硬地向后拉。如果是和比较相熟的人见面，我们会露出"礼节式的微笑"：牙齿微露，嘴角微微上扬。如果遇到的是崇拜、喜欢甚至是爱慕的人的话，我们会露出最为真实的微笑：露出牙齿，嘴角更为明显地咧开，脸颊和眼部的肌肉也跟着活动起来，眼睛变得如弯弯的月牙

FBI 教你破解身体语言
LOUDER THAN WORDS

白金
升级版

一般。当然，也有一些其他方式的"笑"是介于以上几种之间的，包括：

- 快速，略显紧张的笑："不好意思！"

- 嘴角不对称的，稍显歉意的笑："真希望我没犯这个错误。"

- 眉毛上扬，略带怀疑的笑："这个主意听起来还不错吗？"

- 牙齿全露，下巴紧张，虚情假意的笑："真不敢相信他居然这么说！"

当有一天你真的意识到微笑是一个人在社会上的安身立命之本——与他人建立合作关系——的重要工具时，你一定会更加有效地将"微笑"运用到生活中。

我曾经告诉企业的老总们，一定要把微笑变成对所有员工在公共场合或与外界接洽沟通时工作要求的一部分。如果有员工做不到怎么办？开除他！为什么要这么苛刻？因为微笑在处理人与人之间的关系，缓和人与人之间的矛盾中太重要了。微笑可以增添他人对你和你公司的满意程度。况且微笑对每个人来说是一件再简单不过的事情了，在当今社会的工作环境下，实在没有谁能有什么理由去拒绝这项规定和要求。还记得我第一次去俄罗斯的时候曾听到过俄罗斯人热切地讨论他们是如何爱去麦当劳餐厅就餐的事。原来他们选择去那里吃饭的原因并不是因为食物，而是因为服务人员总是笑脸相迎。如果是你，你是愿意被对你露出真诚微笑的人接待，还是愿意被面无表情，对你的出现毫无反应或者反应冷淡的人服务呢？

永远不要低估了微笑的作用。就是这样一个简单的动作可以为你带来机会、真情、真心和真意。

## 〰〰 动作的力量 〰〰

一个人行动的速度、效率和流畅度直接决定了别人对你的看法。今年圣诞结束之后，我去了一家全国知名的体育用品商店退货。当时在我前面等候的有九个人，却只有一位收银员在负责收款和退货的工作。这时，大喇叭里传来了经理叫某位工作人员去前台帮忙的声音。所有的顾客眼看着这位工作人员慢吞吞地走到现金收银处。在这么多顾客都在焦急等待的情况下，这位工作人员居然还是那么迟缓地走到自己的工作岗位上，真是令人难以想象。

当时正在排队的顾客们，也包括我，心里的气愤之情是可想而知的。哪知道这位工作人员不但到岗就位的速度慢，服务起来的速度也是一样的缓慢。他的这一系列举动充分表明了这个人对顾客和工作的态度。从这个例子中我们就可以看出，一个人的动作可以令外界知道你的所思所感——对伙伴的态度、对工作的态度，甚至是对自己的态度。

　　动作的迟缓会带来一定的损失，比如错失机会、无法抢占市场先机、延缓了新品的上市、审计出错、服务质量差、迟到或迟发等。我经常告诉公司经理们，速度对于一个组织来说太重要了。如果你的某个员工无论干什么事情总是慢半拍，那我建议你尽快将他换掉。愚笨无能的下属不仅不适合于领导，也不适合于其他的同事，更不适合于我们的顾客。一个人的做事速度经常和他的态度紧密相连，而不佳的态度又往往会导致服务质量的低下。在今天这样一个高度竞争、人才过剩的时代，炒掉一个人之后，马上就可以以相同的薪水再请到一位态度优秀，能真正代表公司形象和能力，以及办事速度效率更高的人才，这绝对不是什么难事。

　　**影响他人**

　　我们的动作对他人可以产生巨大的影响力。想象一下以下两幅图景：一幅是当你走进会议室时，老板见你进来马上起身和你握手并热情地欢迎你；另一幅是当你走进会议室时，老板连看也不看你几眼，一点表示欢迎的意思都没有，或是等了很久才做出表示欢迎的举动。在两种不同的情景下，你会分别作何感受？不用说，你的动作就会告诉别人你的感受：备受鼓舞和激励，或是深感沮丧和难过。

我曾告诫过很多律师：当陪审员走进审判室的那一刻，一定要马上站起身表示恭敬，不必等着任何人的指示。这个动作做得越快，越容易得到他们的好感，因为这样会使陪审团的法官们感到自己备受重视。这一点在向法官陈述观点时同样适用。我告诉他们："陈述观点时，一定要迅速起身，珍惜每一分钟去向法官简洁明了，切中要害地阐明立场。因为法官们也和普通人一样，他们不喜欢别人浪费自己的时间。"

"不作为"会大大挫败士气：有些时候一些组织的高层领导人面对混乱局面总会派出所谓的发言人或是其他工作人员来收拾残局，而自己却像懦夫一般躲到了一边避险。所有这些只能证明这个领导者的无能，他无力勇敢地站出来，公正合理地应对和处理事件。想想当初伊丽莎白女王就是因为对戴安娜王妃的死毫无表示和作为而遭受了外界诸多批评。她不敢出来面对那些悲痛的臣民们，每天无论出行何方身边都有重重的安全保护。其实人们需要的只不过是让女王在公众面前露个面，可是当女王连这一点也不肯做的时候，民众批评的声浪便越发高涨起来。其实，不作为本身就是一种作为；什么也不做很可能使周围的人也失去勇气，失去灵感甚至威胁到王位的稳固。

面对危机，领导者不但不能躲藏起来，反而要大胆地挺身而出，用自己的行动来感染周围的人，一个小小的举动有时比豪言壮语还要管用。还记得本章开头理查德·西德尔在圣胡安事件中英勇无畏地走向骚乱人群时的情景吗？就是那么简简单单的一个动作——一脚迈在了另一脚之前——使我感觉今后他所走的每一步都夹带着勇敢的最强音。

你还可以运用动作的力量去改变一场会议的节奏。有一次我的一位客户在和别人谈判时陷入了僵局，被另一方"穷追猛打"。我悄悄地递给他一张小纸条，让他马上站起来，后背靠着墙，远离谈判桌，用这种姿势和他们继续谈判。谁知道，会议的形势居然就这样被扭转了。我的客户马上在谈判中取得了优势地位，把控起了谈判节奏，论述观点时也显得自信了很多——之所以会产生这样的效果是因为我知道，一个人的"气场"在他坐着的时候是很难展现出来的。在第七章中，你还将会学到其他一些能够影响他人并在商务谈判中为自己赢得有利地位的方法。

**流畅的动作会为你赢得自信，尊重和信任**

面对摇摇晃晃，不可预知的动作，人们总是会多少感觉到不太舒服。有一天，我目睹了一个施工队工作的场景：工头一边责骂着手下的工人，身体一边又摇又晃，如歇斯底里一般将两只胳膊夸张得甩来甩去。我眼看着那些被呵斥的工人们脸上个个露出了沮丧和不悦的神情。工头在大家面前的颐指气使和耀武扬威让在场的每一位工人都感到自己没有得到应有的尊重。工头离开之后，工人们是如何对其破口大骂的这里就不方便叙述出来了，反正不是什么好话。事实上，不仅仅是身体，就连一个人手部的动作如果过于激烈的话，都会使你在别人面前的尊严尽失。

身为昔日的反恐特警组组长，我可以告诉大家，在训练警员的过程中我们最不愿意见到的就是警员的动作或者手势过于夸张、激烈、不稳定、冲动或是随意。我们尊重和欣赏那些即使在不利的条件下也能表现得沉着冷静、不慌不乱、掌握好分寸的人。就像在特警队训练时警官们常说的那样："流畅就是速度。"我们希望无论在任何情况下，我们的警员都能流畅地完成工作。记住，无论是拔出武器或是对待客户——流畅就是速度。

生活中，人们从来不会去尊敬那些动辄大喊大叫，呵斥他人，精神委靡，双臂乱挥，手势野蛮的警官、护士、客服人员、安保卫士、教师或者家长。所有这些动作都在告诉他人："我失控了。"谁会愿意去信任和听从一个连自己都掌控不了的人呢？我们只会尊敬和崇拜那些可以控制自己的情绪，任何时候都能保持冷静的人。

"9·11"事件之后美国人之所以那么爱戴朱利安尼就是因为赞赏他处变不惊，沉着冷静地应对突发状况的能力。同样令人们着迷的还有美国空军飞行员萨伦伯格，他在紧急情况下成功控制了被击中的飞机，并最终安全地在哈德孙河实现完美着陆的功勋让人永远铭记。一个真正优秀的专业人士就是这样，做什么事情都是顺畅淋漓的，即使再棘手的事情在他们那里都会办得妥妥当当。

## 〰〰 声音的力量 〰〰

我们本来讲的是"非言语智慧"，突然又谈"声音"，看起来似乎有些矛盾。其实声音中也有非言语的东西。为什么电视中新闻播音员的声音总是那么相像？因为他们都在试图模仿深沉而又流畅的声音。汤姆·布洛考就是一位有着这样声音的人。我与他之间曾经有过几次愉快的合作。他的声音像蜜一般。这种声音并不是人人都有的，至少我就没有，所以我在向这个方向努力。我知道每当自己紧张的时候，声音就会高八度，我很想改掉这个毛病，因为谁都不喜欢忍受那种又高又尖的声音，而且有这种声音的人不容易赢得他人的喜爱和尊重。

2008 年的美国总统大选中有不少的私人媒体都曾指责过希拉里·克林顿的声音。有些人甚至认为她的声音"令人讨厌"。这一点恰恰提醒我们，若是以现阶段大众的标准评判，女人要想走上领导岗位已经很难了。正因为这样，女人在平时就更要学会以一个相对中性的声音讲话——如果你的声音让人生厌，或是音调过高，过尖，别人就会抓住这一点进行攻击或是指责。当然，这一建议也同样适用于男性。

研究显示，当我们不喜欢某人的声音时，就会倾向于不理睬甚至是无视他的存在。所以一个不悦耳的声音会使别人对我们疏远甚至是给别人留下一个坏印象。如果你问我到底是应该花时间修饰自己的外表还是自己的声音，那我会告诉你，还是省点钱，好好在声音上下下工夫吧。我曾经和很多新闻播报员以及电视工作者在这方面交换过看法，他们都告诉我，让自己拥有一个良好的嗓音是自己平时非常重视并狠下工夫的事情。关于这一点，我还分别从女警官、水兵以及医药销售代表们那里听到过同样的答案。无论男女，人人都重视对自己嗓音的修饰，因为好的嗓音能给人带来意想不到的好效果。嗓音越低、越深沉，就越好。

• 很多情况下，人们往往是不见其人而先闻其声。就从你张嘴说话的那一刻起，声音就已经使他人对你形成了一定的印象。如果在电话里你的声音就已经让对方局促不安的话，那么很有可能对方和你连面都不想见了。

• 如果你希望吸引或者保持他人对你的注意力的话，请注意，一定要将自己的声音压低，而不是抬高。一段深沉、从容的发言既可以良好地传达重点，又可以彰显说话人的气质和决心。这样一条异于直觉的秘诀在生活和商业活动中经常被人们忽视。我记得有一位精神病患者曾经跟我说："我最喜欢看着警察们对我大喊大叫。""为什么?"我问。"因为那意味着他们也和我一样失控了。"所以,如果你想别人听你的话那就压低自己的声音。

●练习言语镜像:在第一章中我曾经谈到过如何在与他人的谈话中令双方保持一致的"罗杰斯"法则:如果对方说"我的小孩",你不要说"你的孩子";如果他说"这是个问题",你不要说"这是个麻烦"。一旦掌握了这种方法,你会惊奇地发现它会使你更好地与他人在同一层面上顺畅沟通。

●停顿和沉默的力量:谈话中的停顿和沉默可以显示出一个人的信心和状态。很多人总是急于开口说话,不想有任何停顿,想尽一切办法不让自己有片刻的沉默。然而有些时候适当的间歇,可以让你在深思熟虑之后再做决断,效果反而更好。诚然,不停地讲话确实是一种抑制紧张的方法,但是有时也会适得其反。正如马克·吐温曾经告诫我们的那样:"在有疑惑的情况下最好的应对办法就是闭口不言,故作愚态,而绝不是信口开河,任意胡言。"谈判中,一个含蓄且意味深长的停顿可能会是一个强有力的谈判工具。如果对手不是一个像你一样具备高超的非言语智慧的人,那么极有可能他的防线会率先崩溃,从而让你从中获益。

●讲话中的"犹豫"和我们所讲的停顿是两个概念。"啊""嗯"和类似清嗓的声音都是说话人缺乏自信和故意拖延时间的表现,这样的行为没有人会喜欢。想想最近一直被嘲笑的卡罗琳·肯尼迪,就是因为她在接受电视采访时用了过多类似"嗯""比如""你知道"这样的赘语所以才弄得被人奚落。所以,讲话时千万要摆脱这样的"闲言赘语",如果你被问了一个自己不会回答的问题,最好就直接说"我目前正在考虑这个问题"或是回答"我会尽快调查清楚并给您一个答复",而不要支支吾吾或对提出的问题不加收敛地长篇大论。这样的表现在他人看来无异于一种可笑的自我辩解。

## ≋ 口才的力量 ≋

先等一等,口才难道不是用嘴说的吗?不,言语是用嘴说的,但是口才指的是我们如何说,这属于非言语的范畴。巴拉克·奥巴马能够成功当选美国总统的重要原因之一就是他雄辩的口才。我们欣赏口才好的人,因为一副好的口才能给他人安心可靠的感觉。当演讲者的表达成熟、幽默、简练、清晰的时候,我们会特别崇拜。所有这些要素共同成就了一个人的好口才,并且人人都羡慕并想拥有一副好口才。

表达可能不是你的长项,其实大多数人都不善于此。但是只要人们稍加注意,口才是可以培养的。温斯顿·丘吉尔向来以他出色的口才闻名，他的话也是被他人引用次数最多的。但是，丘吉尔的这般成就并不是凭空而来的。每次在他演讲之前，丘吉尔都会来来回回反复练习。每一次的妙语连珠都是丘吉尔提前悉心准备的结果。当他最终掌握了这项本领的时候，他的话听起来才会那么睿智而精彩。其实你也可以像他一样。演员们在登台亮相前不也是一样要事先彩排的吗？

没有几个人能够真正接受并模仿丘吉尔的讲话方式。每当我要发表一次新的演讲时，我都会提前练上个好几遍，直到演讲中你所要说的话和要做的动作变成一种最自然的流露为止。你可以自己练习，或是找一位家人或朋友陪伴，然后听听他们真诚的反馈意见，看看自己的语言表达在听众那里听起来，效果究竟如何。大多数情况下，听了自己大声练习之后，人都会重新再考虑考虑讲话中的用词，或是重新调整演讲的节奏和韵律。记住，在你发表讲话的时候，一定要保持住像排练时一样的自信程度。自信会使你的话语更具有说服力，也会使你的讲话更加精彩动人。

## 〰〰 习惯的力量 〰〰

一个人的习惯可以透露出很多信息，因为人的大多数习惯都不是用语言表达出来的，而是做出来的。也许你从来不

第四章　行为的力量

117

曾考虑到过这一点，但是其实我们所做的每一件事都在别人的注意之下。你的每一个工作习惯（什么时候到公司，什么时候吃饭，吃饭需要花多长时间，下班的时间等）都会很快被别人注意并记住。

我曾经接触过一家家族企业，爸爸是公司的创始人，后来把权力交给了长子。过了一段时间，长子的其他弟兄们也纷纷进入公司做事，于是问题爆发了：其中一位兄弟经常迟到早退，对工作十分懈怠。老大跟我说："我弟弟经常迟到的行为很影响公司其他员工的工作士气，员工们现在都在抱怨：'凭什么他每天只工作这么几个小时却拿着和我同样多的薪水？'我非常后悔当初让他进公司的时候没有跟他说清楚：'虽然我是你的兄长，但是在公司我首先是你的老板，我们要经营好这家企业。这儿不是野外考察队，不是酒吧，这儿是公司。'"

所以说，永远不要忘记，员工们对公司环境的变化是非常敏感的，如果有某位员工经常迟到早退的话，大家马上就会注意到这个人，在不知不觉中，公司的形象和运作就会受到负面的影响。

其实大家相互之间都会知道各位同事中，谁总是动不动就给自己来个茶休、烟休，或是谁总爱在不同的办公室之间串来串去借机会和同事闲聊。当你第一次碰到这种人的时候，可能会认为对方找你聊几句是表示友好的一种方式，但是时间久了，就会为你带来不便。不要令自己成为那种人，也不要轻易和他们成为朋友，因为那样一来，别人就会认为你也是和他们一样的人。在不同的办公室之间串来串去这个行为本身就是在告诉别人："我个人的喜好比付给我薪水的公司的利益更为重要。"

你在某个组织中所做的每一件事都在别人的观察之下，也都有可能成为别人的谈资。如果你有浪费时间、经常迟到、完不成任务、爱找借口、自私自利、占用公司电话和朋友聊天或是爱和同事打情骂俏的习惯的话，那么你一定要清楚，这些习惯很可能就是导致你最终垮台出局的原因。

还有一点很有意思，我发现凡是以前在 FBI 任职期间工作表现很出色的警务人员往往在退休之后的生活中，依然会是个成功者；而那些在工作期间就经常对工作怨声载道，抱怨工作压力大的人，果不其然，退休之后还是免不了对什么事情都爱发牢骚。坏习惯要想改掉是很困难的，原来在工作中就表现较差的人无论到什么时候都还会是一样，因为他们从来没有真正具备过在职场中取得成功所要具备的基本职业道德。

## 要想成为领导，就要敢于在必要的时候挺身而出

领导力，正如我们所知，和管理不同。领导别人意味着要冒风险，意味着要敢为人先，要在逆境面前表现得沉着冷静，要善于有力地煽动起别人的情绪。要做到这些其实并不难，你可以不费一字一句，只要做到一点——永远与部下们"站在一起"。"二战"期间，当时已经60多岁的温斯顿·丘吉尔，在大众都已经濒临绝望的时候，凭借着自己在危难面前展现出的自信和控制力，重新点燃了英国民众心中的激情，他就是以身作则的典范；艾森豪威尔，作为欧洲战区同盟军的最高司令官，和各个级别的军官士兵都打成一片。就在同盟军登陆欧洲之前，他还和一群伞兵们在一起。

上面谈到的这两位领导者都用了非言语沟通的方式，不费一字一句，却表达出了自己最想说的话。他们用自己的行为所塑造出的高大形象直至今日还令人们敬佩不已。艾森豪威尔与伞兵们亲切交流；巴顿将军向前进中的战车挥手致意；麦克阿瑟在海岸上散步……从这些领导者们身上所展现出的非言语智慧中，我们能得出什么

结论——个人真正的魅力不仅仅来源于他们说了什么，更来源于他们做了什么。是他们在关键时刻的所作所为鼓舞了士兵并且激励了同胞们最终返回祖国。所以说，领导力的真正内涵是领导者必须要站在最前端，只有这样部下们才会跟随你的脚步——正是这一点成就了22岁就征服了大半个世界的马其顿人——亚历山大大帝。他能成为一代枭雄靠的并不是像对手那样对自己的士兵发号施令，而是真正带领他们到战场上奋勇杀敌。所以，如果你想成为一个领导者，一定要懂得"随时出现"的重要性——别自己躲在办公室里，不妨经常到走廊里转转，和职员们聊聊天。

## 礼仪的力量

只要你曾经与一位没有风度的同事合作过，或是为一位没有风度的老板打过工，你就会知道谈吐礼貌是多么重要的一件事。谈吐或是风度极差的人总爱打断别人讲话，从不说"请"或者"谢谢""对不起"等礼貌用语。面对提重物，忙着开门或正在穿衣的同事，他们从不会主动提出帮助；甚至吃饭时还一边嚼着食物，一边张着大嘴与别人说话，甚至是在饭桌上剔牙等。礼仪作为谈吐的基础，是一种让别人感到舒服的艺术。那是一种专注，对于发生在你身边的每一件小事的专注，这种专注在 FBI 我们称为"情景意识"。除了要有情景意识之外，你也需要考虑自己的行为会对他人产生什么样的影响。尤其是在当今这样一个多元化的社会中，当由于生活和工作的需要使我们不得不与一些和自己文化、社会背景不同的人打交道时，相互理解就是一个最基本的要求。没有什么会比这个更重要了。"礼仪"（protocol）这个词包含了一个希腊语词根 kolla，这个词根是"胶水"的意思。而一个人的礼仪和礼节恰恰就如胶水一般，它能够将不同文化背景的人紧紧地连接在一起。市面上有很多写礼仪礼节的书，大多数讲的是非言语的礼仪和礼节。好好从中找一本最适合自己的书，并认真地学习学习。我保证，你肯定能从中学到很多自己以前不知道的东西，我保证。

## 〰〰 "近朱者赤" 〰〰

你选择与什么样的人共事，这本身也是一种非言语式的表达，只不过人们很少意识到这一点罢了。根据我以前和几位经理、面试官、CEO，以及人力资源的工作人员交流的经验，我可以肯定地说，和什么样的人接触或者共事，会直接影响别人看待你的方式。

没有任何一个人会早上起来一睁眼就说："我要和最平

庸、粗鲁、愚笨、可耻、邋遢的人一起出去。"谁都愿意和成功的人在一起。但是你手下到底有多少员工会真正和成功人士一起交朋友呢？甚至有时如果你只和成功人士交朋友，周围的人会看不起你。他们也许会说："这不公平。"是的，他们说得对，生活本来就不公平。别人就是会通过看你身边的人，来对你作出评价，在这方面若是做了不明智的抉择，可能毁掉你整个事业的发展轨道。我这样说并不是让你成为一个精英主义者，而是要让你注意到，我们每个人都可能会因为自己朋友的不当行为而受到牵连。

如果你是一个办公室新人，那么一定要留心谁是办公室里的"失败者"，这些人经常浪费别人的时间，工作效率也相当低下。这样的人，同事们都会聪明地对他敬而远之。在我原来曾经工作过的一个单位里就有这样的情况。越是那些在工作上表现不佳的人，越是爱笼络新同事做朋友，为的是找个可以说话的对象。本来是出于礼貌而和这样的人做朋友的新职员们，就这样在不知不觉当中，因为受到牵连而成为了受害者。这样的人在哪儿都有。所以你一定要小心这样的人，他们会对你的工作和你在他人心目中的形象产生不利的影响。

记住，世界上的人大致分为两种：一种人可以帮你把你的茶杯填满，一种人则是帮你把你的水喝得一滴不剩。有些人起初和你做朋友，但是最终却消耗或是损害了你的精力、思想、工作表现，直至把你一点点地榨干。

我曾经在这样的一个地方工作过，不仅工作压力大，每天还要忍受一些同事在耳边抱怨哪些事情又影响了大家的工作士气，或是什么事情又影响了大家的工作效率等。坦白说，听他们说这些我自己就像经历手术一般的难受。你和我都不是医生，我们的工作不是要去治疗任何人。一旦这样的人缠上你，你一定要小心，他们不仅会消耗掉你的精力和意志，还会连累你在整个公司的地位下降。我这么说并不是让你对这样的人苛刻相待，而是要提醒你不要在这样的人身上浪费太多的时间，因为他们只会扯你的后腿。

当我在二十多个不同国家的上百家企业中都做了调查和咨询之后，我可以肯定地说，在商业领域，非言语智慧给人们带来成功的说法是带有极大的普遍意义的。走进世界任何一家公司，你一眼就能看出谁是佼佼者，谁是失败者；谁是永远追求卓越的人，谁是甘于平庸的人；谁是品行优良的人，而谁是自私无德的人。总之，一个人品性如何，他周围每个人心里都会有本账。他人对你的评价主要是基于两点：一是你的能力水平，这是必然的；还有一点更为重要的，那就是你的行为。如果大家认为你不是一个能让人感到很舒服，不值得信任的人的话，那么即使你再有本事也无济于事。越是

忽略了这一点的人，越是可能在职业发展的道路上栽大跟头。

在日常的行为中你到底表现得如何，直接决定了他人会如何对待你，如何看待你，如何奖励你。如果在工作中你只展现了专业能力，那么你只算得上是众多职员当中"很有能力"的一个；然而如果你能展现出自己非凡的非言语智慧的话，那么你将是"出类拔萃，异常杰出"的一位。选择都是自己做出的，从外表到内涵，它体现在你平时的一点一滴中——关于"内涵"这一点，我们将在下一章中深入探讨。

第四章 行为的力量

NO.5
第五章

# 外表的力量

LOUDER
THAN
WORDS

在位于纽约的 CBS 办公大楼里，有这样一个安静的似乎快被人遗忘的角落，那里安放着 4 台原装 RCA TK – 11A 照相机。就是这四台照相机，革命性地改变了今天人们对政治和政治家的看法。1960 年 9 月 26 日，7000 万民众同时打开电视机，第一次收看了电视直播的美国总统竞选的电视辩论节目。这场辩论是在副总统理查德·尼克松和参议员约翰·F. 肯尼迪之间展开的。这是美国民众第一次真真切切地看到，而不是只听到或者读到，两位总统候选人究竟说了什么。那些通过广播收听这场辩论的民众认为尼克松应该在这场激战中获胜，而那些收看了电视节目，看到了肯尼迪棕褐色的皮肤，健康、年轻和微笑洋溢的形象的民众们则声称肯尼迪才是真正的胜利者。

这场激辩和那几台照相机改变了一切。人们总是会对看到的东西产生先入为主的印象。从视觉的角度讲，美国人喜欢肯尼迪胜过尼克松，尽管从经验上看，尼克松老到许多。肯尼迪的形象让人感到亲切，自然，舒服。而尼克松的外形则不怎么好看，他总是一副冷峻严肃的面容，给人感觉有些烦躁，不安，他的头上有时甚至会渗出汗珠，胡子看起来也乱糟糟的。

这样简简单单的一场辩论一夜之间就证明了一个人外表的重要性。自那时起，视觉产业就在政治领域悄然兴起，它的影响力甚至超过了视觉历史上的另一个标志性重大事件——电影从无声转向有声——这个电影产业的巨大变动使那些操着外国口音或是声音太高太尖的演员从此失了业。

## 〰〰 美丽红利 〰〰

在影视界，一副姣好帅气的面容能带来巨大的价值和利润已经不是什么秘密了。就像我们前文所举的例子那样，漂亮的外形有时甚至能够影响政治前途和权力的角逐。那么在商场上又如何呢？美丽这东西还那么管用吗？

如果我让你打开大四毕业时全班同学的毕业照片，并让你预测未来谁会拿到最高的薪水的话，你可能会说我根本不可能做到这一点，因为从外表预测不了一个人的未来。然而，这个命题正是两位科学家决心涉足的研究领域，他们想要知道，到底外表对一个人来说有多重要。经济学家丹尼尔·S.哈莫米斯和杰夫·E.比德尔研究发现，外表漂亮的人通常会更容易被人雇用，工资提升的速度也比其他人快，且平均薪水也比一般人高出 10%～15%。他们还发现，一个公司雇用相貌靓丽的前台工作人员能比它雇用相貌一般的前台工作人员多创造 10%～15% 的利润。其实，关于美貌在日常生活中起到的巨大作用早就不是什么新闻了，就连《圣经》中都记载着很多关于因美貌而得福的故事。

我告诉大家这一点并不是要混淆视听，恰恰相反，我是要跟大家明确一件事。这件事可能在大多数人心目中还多多少少存有疑惑，而研究者们却早已是心知肚明，那就是：人，就像其他物种一样，都爱美丽的事物。无论是一只有着漂亮尾巴的孔雀，还是有着长长鬃毛的狮子，或是看起来英气十足的种马，即使是动物也会去寻求自身的美丽。这也就是为什么人类会举办各种各样的选美比赛。而且在现实社会中，男女之间在结婚之前的恋爱也大多是以外表为基础的。

　　有些人会说，只有情人眼里才会出西施，但是研究却显示人类对于美丽外表的钟爱是由基因构成决定的。就连刚出生的婴儿也会让自己的眼神在漂亮的面孔上多停留一会儿。无论在哪种文化中，人都是追求美的。不仅如此，我们还会通过各种方式（如化妆或者装饰）来力求使自己变得更美，并从中获益。

　　美丽虽然重要，但这是不是就意味着人人长得就都要像乔治·克鲁尼或是克里斯蒂·布伦基莱那样，否则就注定做什么都会失败？这话既对也不对。天生长了一张漂亮的脸蛋的确是幸运的，但是这背后还有另一个秘密：所有人都可以让自己变得更美。你并不需要美得倾国倾城，但是至少要重视自己的仪容仪表。

　　重视外表可以从精致的配饰、干净的仪表、合适的妆容、整齐的发型开始做起，这些东西能够也一定可以给人带来焕然一新的感觉。"外形大变身节目"之所以那么流行，就是因为常变常新的外形可以使我们看起来更加舒服，可以给我们带来积极的变化。那些外表整洁的人更容易对自己感到自信，而且往往能拥有更多的朋友，别人对待他们也会更为友好热情。所以，问题的关键并不在于人人都要成为校花校草，而是要重视起自己的外表、穿着和举止这些问题。

一般来说，一个人的外表怎样多半是自我的选择。但是从更广的角度上看，它同样也受到社会文化的影响。当年当我在美国西部工作并负责几起凶案的时候，曾经采访过很多穿着牛仔裤，白色衬衣，打着保罗领带，戴着牛仔帽就去上班的人。这样的打扮在我看来很奇怪，就像是走在华尔街上，有时你会看到一些穿着普通的海军蓝毛衣但却打着高级意大利领带的人一样。这个社会为人的衣着设定了一些基本规范，我们必须要遵守。记住，这个社会中的人早已经对外表有一些固有的认定了。例如，在大多数人看来，只有整洁漂亮的仪容仪表才是健康、有活力和有着很强的社会适应能力的象征。

虽说忽视外表的重要性是非常不明智的，但是还有其他的一些因素也必须考虑，比如说专业技能，驾驭业务的能力，抓小放大的气魄等。尤其是当一个人本身就非常聪明，待人和善，做事态度又很好的情况下，更要重视这几条。别忘了，即使是这些方面你都做到了，也还是有可能会被某些人"鸡蛋里挑骨头"的。

有时，一个人即使是有一些缺陷，比如身材矮小或者身体残缺，也完全可以通过自身的魅力、意志和积极乐观的态度来征服别人。有些人身材虽然不高，但是却很有个性魅力，比如一些名人或是舞蹈家。这样的人在大众心目中的形象比他们真实的身材要高大很多。就拿奥普拉·温弗瑞来说吧，除了她引人热议的体重问题之外，她的做事风格、个性和关于她的每一条生活和工作的新闻无一不引来成千上万人的爱慕和关注。这就是无言之"美"的一个最好例子：任何人都可以借助这份无言的美丽来吸引大众的目光——把他们的目光吸引到自己的力量和才能上来。

## 〰〰 服饰会说话 〰〰

每天你都可以在为自己打扮还是为他人打扮之间做出选择。别人可以在一定程度通过外表看出你到底是个怎样的人：身份、经济状况、教育程度、可信度、精明度、背景甚至是你循规蹈矩的程度。所以说，"形象"这个东西虽然是无声的，但是它其实每天都在和我们对话。

我经常拿伦敦的一家酒店举例。在那家酒店里，所有人，即使是房间的客服人员都会身着阿玛尼的上衣。所有员工统一的服饰会给客人这样一种感觉：在这个酒店里的每一个人都是有身份有地位的人。这样的一种骄傲感和优越感不仅仅让员工们心情舒畅，顾客们也同样会因此感到舒服满意。所以我说，在酒店里看见每个人的着装大方得体是一件令人愉悦的事情。

现在我们假设你偶遇了一位衣着时尚的女士。这个女士靓丽的外表可能会引发不同人的不同思考，比如：她的这身服装想要传达什么信息？她是为别人这么穿的，还是为她自己？她是在用这身衣服来彰显权势？干练？自信？精英意识？财富？很难说是其中的哪一个，也许都包括吧。其实，漂亮的衣服不仅能使穿衣者本人感到很舒服，同时也向外界传达了某种信息。最关键的地方在于：穿衣者之所以会这么穿，肯定是想表现点什么，而且是要通过她的衣着来表现。沃尔玛的 CEO 萨姆·沃尔顿就是因为总穿牛仔裤，开二手拉货卡车而世界闻名，其实他也是要借助这些"奇怪"的行为传达出一些想要传达的信息罢了。

在选择穿什么衣服的问题上，场合是必须要考虑的因素。根据不同的场合来选择合适的服装出席，可以体现你对客户、同事和自己工作的一份尊敬。在 FBI 工作的几年里，我曾经看到过这样的情景：联邦法院的法官们把律师带到一边的通道上说："给你20分钟的时间，换条新的领带再回来。"众所周知，律师是从来不会在说话上吃亏的，但是听了法官们的话，他们却是一头雾水，哑口无言。这就是现实，是真实的联邦法院。要么你用得体的服装显示对这个神圣地方的尊敬，要么你就别在这个圈子里混。也许你会说："我不是律师，不必每天出入联邦法院。"但是面试的时候呢？会见重要客户的时候呢？如果别人通过你的衣着看出了你不重视的态度，那么我相信，对方也绝对不会重视你的。

世界闻名的迪士尼乐园之所以能取得那么大的商业成功，其中有部分原因是迪士尼对员工服饰有着严格的要求。迪士尼公司对每位员工穿什么，怎么穿都有详细的规定。游客们对乐园里花哨可爱的服饰赞不绝口。在这里，游客绝不会看见扎鼻环，或是将打底裤穿在裤子外面的员工。

往往，一个穿着不俗的人可以比穿着一般的人对周围人施加更大的影响力。法官之所以要在法庭上穿着袍服就是为了体现自己的威严和权威感；医生们穿着实验室里的白大褂是因为这样的打扮能够让病人遵从他们的意见和指导。我们还知道，制服（如警察制服、消防部门的制服，甚至是管理员的制服）要比便衣更能够引起他人的注意力。身着海军蓝"商务西装"的律师如果和穿着随便的对手站在一起的话，显然会给陪审员以更加诚实可信的印象。所以说，衣着对一个人来说，是非常重要的。

以下是我对商务人士，尤其是白领阶层的一点建议：多模仿衣着打扮好的人，而不要追求新奇古怪的穿着。平时注意观察上级主管的服装，跟他们好好学。最近我到加利福尼亚的 NBC 演播室拜访了一位好友。我发现整间演播室里没有一个人穿西装，大家都是一件保罗衬衫搭配一条牛仔裤，一下子使当时穿着西装的我成了另类。

当然，有些工作对于员工的着装要求并没有那么高，或者有的行业干脆要求员工着统一的制服。但是即使是在那样的地方，人们也还是喜欢看到令人眼前一亮的人。我很感谢每年来我家三次，负责消灭蚂蚁的那位卫生员。因为每次见到他，他总是穿得那么整洁；我很感谢杂货店里的收银员，是他们用一双干净的手为顾客们盛装各色美食，还特地穿着宽宽大大的工作服以使自己的身体与食物保持在规定的距离之内，让顾客买着放心，吃着舒心。

对于那些自主创业者来说，大方得体的穿着对于赢得客户的信任和尊重更是十分重要的。一位为客户经营网络的朋友曾对我说："在家里工作的时候，我从来都是穿体恤衫和牛仔裤。可是一旦我要出去见客户，我一定要保证自己的穿着和客户一样得体。在穿着上我不会压过我的客户，但是我必须务力找到我们之间的相同点，而做到这一点的一个好方法就是穿得和他们一般得体。"

## ≡≡≡ "效仿法国人"的美国大使 ≡≡≡

历史的经验告诉我们，模仿和同步是两件可以改变世界的东西。美国独立战争期间（1776～1785年）的第一位大使本杰明·富兰克林曾出使法国，游说当时的法国国王充当美国的盟友。这可不是一件容易的事情，因为从当时的形势来看，要想让法国自愿成为一个刚刚处于雏形阶段的、孤立无援的民主政权国家的政治盟友，简直太难了。法国并不想与拥有世界上最强大的海军力量的英国成为敌人。但是富兰克林最终做到了。

到达法国之后，他很快发现了一个赢得法国国王好感的好方法，那就是模仿法国人的造型——戴假发、打粉底、穿法国的特色服饰，他甚至还特地包下了一辆法国式的马车，用这辆马车载着他跑在法国的大街小巷上。富兰克林很快便得到了法国宫廷重臣，尤其是那些有机会在国王面前吹耳边风的人的接见。他内心深知，要想在这场外交战役中取得成功，就必须要模仿法国人的生活习俗和习惯，只有这样做才是对自身最有利的。

1777年，当美国派往法国的第二任外交使节约翰·亚当斯到达法国时，他被富兰克林当时近乎完全法国化了的行为举止和衣着打扮惊呆了。亚当斯一直是以一个纯粹的美国人的身份和形象在法国工作的，他拒绝使自己"法国化"，而且他本人一直对法国人说话聊天和衣着打扮的方式颇有微词。他回到美国后，公开指责富兰克林在法国的行为。后来，当亚当斯再次被派往法国与法国官员们谈判一项重要条约时，居然被法国人以"不满该位使者过去的行为，以及缺乏足够的适应能力"为由拒绝了谈判。最终美法两国之间这项条约，还是由深谙法国外交规范的富兰克林出马斡旋，才最终谈妥的。

法国人一直非常尊重富兰克林，因为他们认为富兰克林也非常尊重法国以及法国的文化。他们感到和富兰克林待在一起非常舒服，愿意和他一起展开工作。在"效仿法国人"这一点上，富兰克林做得非常成功，亚当斯却很失败。可以说，富兰克林找到了一条以"情感牌"打通双方交往渠道的捷径，充分显示了自己在这一方面的外交能力，而这种能力又恰恰是成功的必备要素。是富兰克林高超的非言语智慧帮助美国最终得到了法国的支持，进而最终摆脱了英国的殖民统治。

在这一章里，我并不是要精确地告诉你能穿什么，不能穿什么，而是要以我多年对陪审员的观察以及科学家的研究结果为基础，告诉读者如何根据时尚趋势的变化来调整自己的衣着打扮。其中有几条规则，是请读者千万要注意的。比如说衣着打扮的第一条规则就是千万不要穿与自己的职业和形象不符的衣服。第二条是多看看周围的人穿成什么样，尽量模仿大家的衣着打扮。比如每次见客户之前，我都要事先询问清楚对方在穿衣打扮上有什么偏好或是规矩，然后再为自己最终定装，你也应该像我一样。

## 〰〰〰 便装的滑铁卢 〰〰〰

一直以来我都建议自己的商业客户不要遵循什么"周五可以穿便装"的规矩。作为商务人士，每天都应该穿西装打领带，干干净净地出现在他人面前。如此严格的着装要求为的是增强一个人的专业感和和谐感，这种感觉应该既是内在的也是外在的，况且谈生意绝不是儿戏。如果连基本的标准都放松了的话，那么公司对员工今后的工作要求就会越来越低，直至丧失任何约束能力：休闲裤会变成拉链牛仔裤、凉鞋会变成拖鞋。一旦这个标准有一点点的放松，以后再重新建立起来就会困难很多。同事们会说："上个星期桑迪穿的也是拖鞋，你什么都没说，为什么今天我穿了拖鞋，你就这么多规矩呢？"所以说，公司对着装的要求不但不能够松懈，而且要标准统一、无一例外。如果你不贯彻和支持好的行为准则，那么就相当于在助长坏的风气与习惯。

过于休闲的着装可以毁了一个人的信誉。一个人所说的话在别人眼里有多大的可信度，很大程度上和他的衣着以及打扮有关系。衣着打扮不得体的人，即使说出非常重要的信息，在别人眼里也显得可信度很低。其实这并不奇怪。生活中，你我不都是更偏向于给予那些衣着得体、举止大方的人以更多信任的吗？

身着休闲装会使人陷入一种放松的精神状态，人都是容易受周围环境影响的。如果一场本来严肃的商务谈判融进了欢乐放松的成分或者因素的话，那么身处在这个环境中的人的行为也会跟着放松下来。同理，如果老板自己对着装的要求首先松懈下来的话，那么员工就不仅仅会在衣着上，还会在日常办公和同事间的相互交流等诸多方面也跟着放松下来。长此以往，公司的形象会受到不利的影响。同时，这样做对那些勤奋努力，谨守规章的同事们也很不公平。有句话说得很有道理："衣着决定人的命运。"一个人在他人眼里的形象有很大一部分取决于他的穿衣打扮。

## 〰〰〰 反恐特警 & 上班族 〰〰〰

我曾经在 FBI 做过一个虽然从科学角度上讲并不一定严谨，但是对于"穿衣打扮到底会对一个人产生什么样的影响"这一问题很有启发的试验。我给两组不同的被访者设定了完全相同的情景：一个男人劫持了一位女人质，男人手里有电话，但是两人藏匿的地点还不清楚。如果是你，请问你能想出什么样的营救方案？

第一组被访者是身着西装的上班组，而另一组被访者是我们反恐特警组成员，穿的是粗布长裤和衬衣。由于接受过反恐训练，后者的衣服上有一些磨破的窟窿，但是手中并没有武器。两组被访者之间相互不认识，同时也不知道彼此面对的是同一道问题。

在这种情况下到底应该怎么办呢？身着西装的上班族说："我们应该这样做。首先要在周边设立一个战地指挥所，然后开始与对方通过可视电话谈判，争取把歹徒引出来……"就这样，第一组人员一步步地将自己小心谨慎、步步为营、通过谈判解救人质的方法娓娓道来。

然而第二组提出的解决方案却是完全不同。"我们必须马上将女人质救出来！""我们要给予歹徒有力的打击：首先踢开大门，向室内投掷烟雾弹以分散歹徒的注意力，然后，包括医护人员在内的6人救援小组马上通过大门或窗户等进入室内，第一时间抢救人质。"

两个小组给出的截然不同的答案不禁让我们大吃一

惊——然而，两组之间答案的差别到底源自哪里呢？不同的穿着！就是因为穿的衣服不同，影响了他们的思维方式，给出的答案也就随之不同。

成为一名警务人员之后，我很快便见识到了穿着的力量。我至今还清晰地记得自己穿着警服在 FBI 上班的头几个星期：肩上戴着警务徽，头上戴着警帽，整个人显得那么威风能干，正义凛然。每次出门前，我都会特意在镜子前面好好照一照，那时，我简直觉得自己像变了一个人一样。我想：从现在起我就已经是警察了，我要对得起自己这个身份！所以说，服装能迅速给人以某种强烈的身份感。这也就是为什么世界上有那么多为了某些特别的场合而制作的衣服，比如学生的毕业典礼服、婚礼上新人穿的婚纱、阅兵式上军人的军装、团队比赛时全队的统一队服或是演员在剧场舞台演出时穿的戏服……不同的衣服会把人安放在不同的角色定位上，衣服可以帮助一个人无论是内在上还是外在上都尽快进入某些特定的情景，以更好地完成应做的工作。所以说，在工作场合下，我们必须要身着工作装，这就是我们身份的象征。

## 对"便装星期五"的错误理解

在某些人看来，公司如果允许自己的员工星期五穿便装，就会有利于工作效率的提升。所以，所谓的"便装星期五"在有些人看来是应该被肯定和推行的。但事实上，工作效率根本不会因为周五可以着便装而提高，反而会下降，究竟为什么呢？

对这个问题的解释，只要我们一起看一看一份相关的研究报告就自然明白了。"霍桑试验"曾经以一个工厂的例子说明过这样一个道理：如果老板把工厂的照明度提高的话，工人的生产效率也会相应提高。几周以后，研究者们发现工人们的生产效率却下降了，于是他们就把工厂的照明度降到了比起初的照明度还低的水平上。你猜怎么样？生产效率又提升了！但是几周以后，生产效率又再一次，像先前那样，下降到了原有的水平。

于是研究者们得出了以下结论：变化带来的刺激会带来生产效率的提升。但是一旦人们习惯了某种变化之后，新奇的感觉就会慢慢退去，行为上的变化也是同一个道理。

这些发现帮助我们解释了为什么偶尔的休闲娱乐活动可以大大提高员工的工作士气和效率。但是这些活动只能是偶尔的，不能成为一种习惯，否则就会失效。而且这些活动最好是能够在校园之外，那些能够接受便装和轻松活泼行为的场合举行。办公室里的"便装星期五"是绝不能够接受的。

## 男士在商务场合下着装的黄金法则

● 整齐并干净很重要。

● 大多数人分不清一件 1500 美金的西装与一件 200 美金的西装有什么分别，尤其是当那件西装不是手工裁剪出来的时候。

● 如果你穿西装，那么千万记住袖子不能太长，否则你会看起来像个第一天去上学的孩子。

● 衣服的大小必须合体。

● 不要穿棕色的西装，因为这种颜色在屡次的评级调查当中都是最差的。

● 不要穿短袖衬衫，除非是在适宜的场合下穿 Polo 衬衫。

● 如果一条领带的样式花哨得能把蜜蜂都招来，那就别买了。

● 领带确实要起到亮眼的作用，但是不要夸张到变成众人关注的焦点的程度。

● 如果你穿了吊裤带的话，请不要系腰带。

● 袜子一定要和鞋子搭配，永远不要穿白色的袜子。

● 保养鞋子要和保养其他衣物一样用心。有很多男人都忽视了鞋子这一重要的细节，舍不得花足够的时间和金钱去打理或修饰。

FBI 教你破解身体语言
LOUDER THAN WORDS
升级版 白金

● 衬衣的口袋并不是放钢笔的地方，请时刻保持口袋是空的。

● 大多数的商务男士爱戴轻薄的、传统样式的手表。

● 当你拿不定主意穿什么的时候，最好选择深蓝色的两扣西装，搭配白衬衣和传统样式的、能与西装颜色构成反差的黑色皮鞋。

## 〰〰 女士在商务场合下着装的黄金法则 〰〰

● 在商务场合下，女士的穿着不要过于暴露，或者说暴露得越少越好。真正有素养的男士或女士是不喜欢女人穿得过于大胆的。

● 关注时尚的款式是好的，但是不要完全陷入时尚潮流的跟风中。

● 衣着要优雅，但价格不必太过昂贵。

● 好的举止和靓丽的妆容比昂贵的衣服更为重要。

● 你的着装最好能够体现公司文化。

● 如果你不是在夏威夷、迈阿密或是洛杉矶的话，请不要穿露脚趾的鞋。就是真的在那些地方，也要避免这样做。

● 首饰不要太过于累赘。

● 耳垂上不要戴过多的耳环。

● 跑鞋或者旅游鞋或许适合你下班后的家居生活，但是不适合工作场合。

- 永远不要穿露肚子的衣服。

- 衣服要整齐干净，不要穿已经破破烂烂的衣服。

- 衣着得体是为了提高你的工作效率和质量，不要让它成为你工作分心的理由。

尽管不同的文化对于衣着的接受程度和标准不同，但是终归有一些对于专业形象的基本要求和准则是不能够违背的。如果你执意要违反，那么一旦周围的人对此做出负面的回应，你也就不必大惊小怪了。正如我的一个老朋友和前任的市场部总监曾经对我说的那样："为了你钟爱的工作，一定要穿一身合适的服装。"

## 〰〰 首饰 〰〰

以下是一些关于首饰和配饰如何佩戴的经验之谈：一个人所佩戴的饰物，无论是数量还是款式上都不要太过夸张和累赘。为什么？因为那会分散他人的注意力。你想让别人关注的应该是你的才华和能力。过分累赘和夸张的饰品是在向外界传达："我需要大家的关注。"在商场上，真正能够博得别人关注的应该是你的能力。

已经身处或是希望未来能够成为高层管理人员的女性，手上戴的戒指不要超过一个。现如今有很多的女性都爱戴不止一个戒指。坦白说，正如一位非常成功的咨询师曾经跟我讲的那样："这样的打扮看起来根本就不像个白领。"尤其是在法律、医务和财经界工作的朋友，客户非常不希望看到一个他们愿意高度信任的人以这样的打扮出现。

在衣着打扮的接受标准和程度上，不同的文化和地区之间是有差异的。比如说，巴西的商界女性所佩戴的耳环要比美国商界女性佩戴的耳环耀眼炫目，而加利福尼亚女性佩戴的耳环又和佛蒙特州女性佩戴的耳环不同。所以说，选择衣服和配饰时，一定要考虑文化与环境，留心观察周围人的穿着打扮。如果你还是不知道穿戴什么才合适的话，那就要更加小心谨慎了。

对于男士来说，商务场合下请不要佩戴潜水手表，带一块合适的男装腕表才是合适的选择。怎么个合适法呢？这款男装手表越轻薄越好，不要厚重得看起来像是个拥有多重功能的，在登陆月球或是执行反恐任务时才佩戴的手表。我们希望你的手表可以传达出你个人的风格和品位，而不是你的业余爱好（比如潜水手表）。一块手表有的时候可以说明很多问题。它或许并不贵，但却能反映出一个人优雅的气质。

我经常建议大学生们多看看新闻联播，因为新闻播音员佩戴的饰品总是恰到好处的。

## 鞋子

有一天我走在街上，无意中看见有一位女士走在我的前面，中等身材，到肩的长发修饰得非常漂亮，衣服剪裁得很精致，漂亮的手表、配饰和妆容，一切都显得那么完美。但是唯一美中不足的是，她的高跟鞋太旧了，鞋上的皮子已经裂开了，而且还上翘着。为什么这位女士全身上下都已经打扮得这么漂亮了，就是让这一点点小细节毁了全部呢？这点小问题本是很容易就解决的啊。男人也是一样，往往就是由于一双破旧的鞋，让所有其他的努力都付诸东流。

●一定要保证把鞋擦得干干净净，修饰得整整齐齐。因为一双脏兮兮的鞋就是一个人粗鲁无礼的象征。

●永远不要穿露出脚趾的鞋，更不要光着脚穿鞋。在这一点上，研究已经充分证明：露脚趾的鞋、凉鞋、拖鞋都是不正式、不专业的象征。如果你是一位律师、高级管理人员或是医务专家的话，一定要特别小心这一点。

●鞋的高度要适当。办公室可不是夜总会。

## 文身

尽管文身现在并不是什么新鲜事，但是在商务场合下，它依然是不能够被允许和接受的。即使你有文身，也一定要把它掩盖起来。人们看到有文身的人经常会联想到以下一些概念：嗜酒如命，轻率鲁莽，时尚弄潮儿，街头小混混和由于针头不净而带来的种种疾病。很显然，所有这些没有一个是能跟洁净、健康、可靠搭上边的。正因如此，有文身的人在食品、医药和金融界一般是很难找工作的。

最近我听到一则很有意思的消息，加利福尼亚火灾救援部最近下令，要求所有有文身的消防队员都要把文身洗掉。对于这一决定我一点也不吃惊。然而令人遗憾的是，最近在监狱的牢犯们当中很流行脸部的文身，因为他们觉得自己是被社会所遗弃的一群人。也许他们没有想过，这样一来，自己出狱之后找起工作来就会变得更加困难，或是有可能会因此被降职，进而不可能再跻身白领的行列。有很多与黑帮搭上边的未成年少女也喜欢刺文身，殊不知这些东西对她们今后找工作会带来多么不利的影响。现在社会上的很多组织都在做这些年轻人的工作，帮助他们去除文身，尤其是那些曾与黑社会有染的年轻人，以增加他们今后找到工作的概率。

很多公司都有一条不成文的规定：如果一个人有文身，那么连面试的机会都不要给他。当然，也许今后我们的文化能够逐渐接受文身，或者说传统的思想倾向会有所改变。但是无论如何，现在人们对文身的态度就是如此，我们必须意识到这一点非常重要。

有很多在校的大学生曾经跟我说："社会名流们几乎都有看得见的文身。"我的回答是："但是你不是社会名流。"对于演艺人员、运动员、摇滚歌星或是其他靠身体吃饭挣钱的人来说，我们可以容忍（实际上甚至可以说期待）他们有一些大胆的、展示性的行为。当他们表演的时候，就是要想尽一切办法让自己表演得精彩。我们也一样，生活中每个人都有自己的角色要扮演，而我们的角色就是普通的上班族。

## 美容和化妆

一旦一个人，哪怕是一个动物停止了对自己外表的修饰和打扮，就证明他一定是在身体上或是精神上处于一种不佳的状态；如果一个人连外表都懒得修饰干净的话，一定说明他情绪沮丧或是心不在焉，因为他把精力放在了其他地方。正因如此，人们经常把整齐干净的外表与好的身体和精神状态联系在一起。从外表我们可以看出一个人的身体是否强健。以下给读者列出的几条是从社会传统的价值观以及人们已经根深蒂固了的评判标准的角度，来评价和定义所谓"健康和优雅形象"的：

- 发型整齐、时尚，但是不能过于夸张，喧宾夺主。
- 正如前文所讲，一个人的手部动作是非常关键的，甚至事关一个人的生死。所以手部的动作总是最能吸引他人目光的。女人指甲的长度要适中，而对于男人而言，指甲要剪得整整齐齐，千万不要养成爱咬指甲的毛病，因为那是一种内心严重紧张的象征性动作。"又长又尖"的指甲在工作场合中是坚决不能被允许的。如果你想成功地找到一份好工作或是在他人心目中为自己树立一个良好形象的话，就一定要坚决杜绝以上我们提到的这些问题。

化妆的目的是使自己看起来更加优雅得体，而不是为了化妆而化妆。人们需要关注的应该是你的言谈举止，而不是你的睫毛膏或是你的口红。如果你不知道自己化妆的方法或是妆容是否合适的话，那么不妨小小地投一点资，找个美容顾问一起聊一聊。

●避免使用过浓的香水，因为其实大多数的人并不喜欢扑鼻的香水味道。

●大众化的，适合在公共场合下出现的着装是最能够给别人留下好印象的（合体的外套，整齐的衣领和笔挺的领带），因为这证明你很在意自己在别人心目中的形象，并希望自己能够在别人心目中树立一个良好的形象。但是需要引起大家注意的是，在公共场合下打扮自己，比如在他人面前梳头、剪指甲、修指甲等，是一种极度缺乏社会涵养的行为。我曾经亲眼目睹过一位律师在法庭上公然用回形针来挖耳朵，全然不顾在场其他人的心理感受；还有一次，我的朋友发现公司的一名助理居然在办公室里用棉线剔牙，当这位助理看见我的朋友向他走来时，立马把口中的棉线放了下来，可是情急之下还是使一段棉线挂在了嘴角处。自从这件事情发生之后，我的朋友说，连看见他手中拿着的文件都觉得脏兮兮的。

• 男人们，永远不要在公共场合下抠鼻子或是抓挠外生殖器（相信我，如果不是总有不同的人向我抱怨："为什么总是有些男人爱……"我是不会把这一条加进这本书里的）。

最后，我再奉献出几条在日常生活中大家应该注意的地方：

## 〰〰 装备和配饰 〰〰

• 双肩背包或许在你做学生或是远足郊游时是个很好的选择，但是一旦上班了，双肩背包就不再适宜出现在办公室了。

• 女人们请注意：没有什么比在自己的书包里一通乱翻，为找钢笔、笔记本或记事簿而急得抓耳挠腮更让人觉得你是一个办事效率低下的人的事了。所有这些东西都应该事先准备好，不是吗？

• 男人们请注意：在进入 21 世纪的今天，再也没有什么蛮荒式的西部牛仔作风了：腰带不是一个用来插带你所有电子产品的地方。人的威严和威信是靠自己的形象赢得的，而不是靠你有多少个电子设备换来的。

• 一定要戴块手表。戴手表证明你是一个很有时间观念的人，况且手表也是商务场合中一个能够彰显身份和品位的必需品。

## 〰 自我检查 〰

通过我们前面的介绍，相信大家现在已经对穿着打扮的要求有所了解了，同时也应该知道我们周围的人，从检察官到人力资源总管再到公司的 CEO 是如何评判一个人的外表的了。所有这些都了然于胸之后，不妨问问自己以下这些问题：

• 别人怎么看我？

• 我自己怎么看自己？

• 我对自己的同事和客户是否具有吸引力？（自己并非一定要多么漂亮或是帅气）

• 我是不是个很有大众眼缘的人？

• 我能够给别人留下好的印象吗？

• 我有什么事情是令他人无法接受的？

• 从每一次认真的打扮当中，我获益了吗？

我希望每一位读者都能真诚地面对自己，如果怕对自己的评价不够客观的话，不妨找一个知心的朋友，相信朋友会对你的穿着打扮和日常行为究竟给人一种什么印象做出诚实而恳切的回答。其实有的时候，我们需要的就是那么一些真正的朋友，他们可以在必要的时候提醒你身体要坐直，皮鞋需要擦一擦，或是你该减减肥了。

有的人总是为自己为什么总得不到领导的赏识和提拔而烦心，没有人会告诉你，其实真正的原因在于你那身皱皱巴巴的衣服和那条让整个人看起来邋邋遢遢的备用领带。如果你已经意识到自己之所以得不到别人的尊重或是屡次得不到升职的原因在于自己一成不变的形象的话，那么现在是时候做出积极的改变了。

只要你从最基本的姿势和手势出发，做一点小小的改变，就能为自己带来很大的变化。看那些刚刚服完兵役回来的少男少女们，最大的变化就是他们日常的手势和姿势。关于这一点我们已经在前一章里讨论过了。这些年轻人身上的变化很快就会被父母和朋友们察觉出来，人还是同样的人，可是服完兵役之后，这些年轻人身上所散发出来的自信气质，即使是那些认识了他们多年的朋友或者亲人看了都大为震惊。之所以会这样，是因为兵役期间，这些年轻人变化的不仅仅是衣服，还有自己从内到外的气质和涵养。

然而对于你我来说，最重要也是最急切想要知道的无非就是一个问题："我身上究竟有什么东西，无论是穿着也好，举止也好，妨碍了自身良好形象的建立？"

在第一章里，我们已经介绍过，一个人要对另一个人产生评价和判断是在很短的时间内就可以做出的——也就是我们所讲的"闪电式评估"。有些人只用四分之一秒的时间就已经在自己心里形成了对另外一个人的看法，一旦这一看法形成了，要再想改变它，所需的时间会是很漫长的。当然，第一印象形成之后，我们还会通过这个人每天的行为去检验自己之前所形成的观点是否正确，一旦我们发现一个起初被认为是大好人的人原来只是个令人讨厌的小人，想法自然就会跟着改变。其实在生活中，真正地去了解和认识一个人本就应该遵循这样的方法，只有这样才能使我们免受陌生人，甚至是亲戚朋友的欺骗。但是总的来说，人脑中所形成的第一印象是会伴随我们很长时间的。工作场合中，每个人都难免会遇到顽固保守的同事，对于这些人来说，第一印象有可能是终生的。

尽管第一印象形成的速度很快，又相对难以改变，但还是有很多办法可以影响别人看待你的方式，而且我们应该为在别人心目中建立一个好的形象而不懈努力。一个人最终需要依靠的应该是自己的专业知识和技能，不要让那些生活中无意的，但却引起他人不舒服的举动最终影响了自己，那对自己是很不公平的。要改变这一点，你可以靠认真的态度，同时也要靠大方得体的穿着打扮来改变。

# FBI NO.6 第六章

## 组织形象的力量

LOUDER

THAN

WORDS

经历了 3 个小时的飞行，30 分钟的行李等待，20 分钟在汽车租赁中心的交涉，以及 90 分钟的车途之后，我终于到达了弗吉尼亚州的匡蒂科。到达的时候我已经筋疲力尽，动弹不得了。站在斯塔福一家酒店的入住登记前台时，我已经全身僵硬，我相信站在我前面的其他旅客恐怕也是一样的疲惫不堪。站在行李旁边，每个人都耷拉着脑袋。此时，前台只有一位工作人员，手边一个电话连着又一个电话，嘴里不停地说着"好的，我会再联系您""好的，我帮您查一查"，或是"好的，我来帮您安排"。只有在电话的空隙之间，他才有时间照顾一下排队等候的客人，看得出，他已经尽了力了。作为客人的我们也想试着给予他最大程度的理解，但是无论如何，他确实是把大多数时间放在了接电话上，而忽视了我们的存在。

最后，我忍无可忍。就在他拿起听筒，准备再接下一个电话的时候，我立马走到了他跟前。看他电话打得差不多了，我便拿出我的电话来拨打前台的座机。

"别挂电话，"我一边对着电话说，一边望着那位前台工作人员的眼睛。他的眼神中透露出了无比的惊讶，没想到我会突然间跑上前去。"你现在也该照顾照顾我们了吧，你可以边打电话边帮我们办理入住手续，我们这些人现在需要，而且必须马上入住酒店。"

一时间，他显得有些惊慌失措，搞不清楚怎么面前这个人说话的声音与电话里的一模一样。这位接待员显得有些发狂，不知道是该继续接听电话，还是马上处理眼前盯着他的人。停滞了几秒钟之后他马上回过神来，迅速帮我们安排了住宿。那天亏了我打破脑袋想出了这条妙计，所有随行的旅客们才得以早一点上床休息。

你遇到过类似这样干等着的情况吗？从什么时候起忽略那些老老实实排队等着的人，而去处理后到的来电并使其成为理所当然的事了?！

其实，只要把员工训练得更加有素，同时增补紧缺的人手，这样的情况就不会再次出现。从事这种工作的人本来就应该懂得"以人为本"，其次才是接听偶尔打来的电话。然而遗憾的是，有很多相关行业的工作人员并没有得到这方面专业的培训，没有分清孰轻孰重。这样做的代价是什么呢？就是这家旅店永远也不会再接到我们这批旅客的生意，就连再接其他旅客的生意或许都很难了。

我们为什么要去酒店住？是因为我们要找到一种休闲放松、宾至如归的感觉。我们希望自己在酒店里能够得到工作人员的重视和照顾。只有这样，顾客才会感到舒服，而让顾客感到舒适是酒店工作追求的目标。从顾客踏进酒店大门的那一刻起，就理应被放在最重要的位置上。有时候，照顾一下他人的感受只需要我们付出一点点的心力，但是所能起到的效果却是大不相同的。

　　如果一家酒店遇到了前文中所讲的情况，最佳的处理方案应该是什么呢？应该是马上派另一位工作人员负责接电话，即使是当时的人手调拨不开，只要前台的工作人员训练有素，完全可以避免这类事件的发生。因为他早就该懂得这样一条工作原则："首先满足你眼前人的需要。"一个真正高档的酒店会想尽一切办法让顾客从进门的那一刻起就感受到温暖和舒适：他们会为顾客安排专门的入住通道，提供饼干、水果、咖啡和茶等。我知道有一家连锁酒店，只要客人一入住，就马上提供香喷喷的饼干。我已经记不清有多少个朋友总爱提起那家酒店了，大家之所以中意它，就是因为爱上了那诱人好吃的饼干。为顾客提供温暖的美食只是一个非常简单的营销手段，但它却如同古老的文化一般，经久不衰。

　　如同一个人对另一个人形成看法或者印象只需极短的时间一样，"闪电式评估"也同样适用于对一家企业或是组织机构的判断上。就像在你和另外一个人的交往中可以逐渐体会出这个人是否令你感到舒服放心一样，我们也同样可以通过第一印象和今后持续的沟通与合作感受到一家企业和自己是不是"投缘"。正因如此，企业在大众心目中的形象，以及它会传达给大众什么样的信息才会显得如此重要。

如果一家公司不能够照顾好客户的利益，无法让客户满意的话，那么后果将会是非常严重的。尤其是有了互联网这样一个快速传播各种信息的媒介之后，无论是好的还是不好的信息，都可以在第一时间传播开来。比如说，互联网上的一篇博客文章，就足以使你公司的形象尽毁。在互联网上你可以对任何人或事评头论足——从大学教授、医生，到水管工、画家，甚至是餐厅、饭店里的电工等。没有任何一种职业逃得过互联网的监督或评价。

　　更为可怕的是，你永远也不知道互联网会把它监督的焦点放在哪里。我曾经读到过一篇旅客由于不满意自己的行李在飞机场丢失而抱怨航空公司的博文。我原本以为争论的焦点会放在机场身上，但是几位网友争论的焦点却是：为什么航空公司的客服人员不再像以前那样对顾客微笑了？最近经常有人跟我提起几年以前东方航空公司客服人员的微笑是多么的甜美灿烂。于是乎，网上的几位网友们便将讨论的焦点放在了这个显著的变化上，而不再是起初的丢失行李事件。我想这对于这家航空公司来说是一个不错的机会，因为公司完全可以借着这个事情将所有员工召集在一起："现在顾客对我们的微笑服务怨声载道，所以从现在起，每个人都要在顾客面前保持微笑，能做到的就继续留在这里工作，不能做到的就自己另谋高就吧。"

## 企业首先要赢得"舒适红利"

一个简单的微笑能改变一个人在他人心目中的形象，更何况一家企业呢？其实，只要多关注生活中简单的小事，企业的形象马上就会被有效地提升。

我已经数不清自己曾在多少本商业励志图书中看到过，或是听别人说起过"竞争优势"这个词了。但是我觉得，这个词始终有它的局限性。我希望找到一个更为宏观的词语，而不想仅仅去谈论"竞争优势"这个概念。我想要的概念，应该足以把一个人从优秀推向卓越。最终，我找到了——"舒适红利"。只要你能够通过自己的努力，让你的客户、病人、顾客、游客或是其他宾客感受到舒适与温暖，那你就一定能得到超越利润之外的更大好处。

舒适的感觉对每一个人都是很有吸引力的，就好像一把坐着舒服的椅子，人人都想抢着坐一样。我们喜欢去那些灯光柔和，座椅舒服的餐厅吃饭。我们希望挑选一位对未来的规划和自己相符，令自己感到满意的保险师来帮助规划金钱；我们希望寻找一位非常专业的理财师帮助我们进行投资，不仅是因为这家投资公司的信誉很好，同时也是因为这位理财师给人的感觉很舒服、很可信；有些人喜欢雇用私人牙医、家庭医师或者妇科大夫，不仅仅是因为这些人的医术高明，同时也是因为他们能使自己放心。"舒适"是一个人选择经常去某家本地餐馆吃饭，或是经常选择和某些特定的朋友出去玩的主要原因。谈起来舒服的生意或交起来舒服的朋友时常让我们无法拒绝，我们总会成为这样的人或事的忠实客户，也愿意对他们敞开心扉、吐露真言。我有一位医生朋友，他的客户光顾率在很短的时间内便以指数的方式疯狂增长。他靠的并不是打什么广告，而是靠一张会说话的嘴。这就是他通过自己的性格和医术让病人感到舒服之后，所得到的红利。这份红利，我想，恐怕比几千块的美金还要值钱。

几年以前，我曾经在一位朋友的办公室里和他一起谈论过关于"如何才能让顾客感到自己备受重视"这一话题。我的那位朋友当时正在为一项新的投资筹措资金，而且急于找到新的合资者。他这个人本身就非常随和、积极，在这两个方面几乎无可挑剔了。于是，我问了他几个关于"希望在哪里开展自己的生意"的问题："你希望在你的新生意中投资多少钱?"他的回答很令我震惊："我会不断地将大把大把的钞票投入进去。"我接着说："既然这样，你不如先花几百块钱进去，后面的几百万就会随之而来了。"

这几百块钱，我建议他买了一款高档的沙发，几套椅子，一张咖啡桌。客户一进来，就让他们自己选择想坐在什么位置，而不要被传统的规矩所束缚（那时总是他坐在办公桌后面，而我就坐在办公桌对面的一把椅子上）。

"就这么简单？"他问道。

"就这么简单。"我回答。

随后的几年当中，我的旅行日程一直排得满满的，所以再也没听到过他的消息。直到有一天，他突然给我打电话，邀请我到他新的办公室和办公地点看一看。我看了以后才发现，我的这位老朋友现在的办公室真是令人流连忘返，他按照我的建议进行了整体性的改变，在原来建议的基础上还买了一个小冰箱，用以储存纯净水和苏打水。当他把我请进办公室之后，我很自然地坐在了沙发上。

随后，他便给我讲起了这一张沙发和几把椅子是如何彻底改变了他与客户之间进行面对面交谈时的尴尬的。自从给办公室"改头换面"之后，公司收到了几百万元的注资，生意越做越好。如果说过去他还曾对我提出的建议有所保留的话，那么现在，他一点也不怀疑了。

生活中人们对很多事物的选择和偏爱都是因为这种东西能给自己带来特别的感受。即使是让顾客自己选择坐在什么位置，或是选择自己喜欢喝的饮料这样的小事，也能带给他们非同一般的感受。正是这些小小的理解，让顾客感受到自己备受尊重和重视，也正是因为这样，他们还会希望再来。

即使你窘迫到不得不在自己的汽车里面办公，或者仅仅有能力投资 50 美元，只要你能够让自己的小汽车看起来干干净净，无论是内在还是外在都显得非常专业、非常职业的话，那么相信你一样可以赢得顾客的信任和满意。

## ≋≋ 如何评价你的企业？ ≋≋

在第五章里我们已经给大家介绍过应该如何对自己在他人心目中的形象做出客观评价的方法了。现在，在了解了"舒适红利"的概念之后，让我们也为自己公司的形象到底如何做一个评价吧。

**组织形象测评**

试着从顾客的角度去看待一个企业或是组织的形象。完成以下几个问题，可以帮助你找到答案。睁大眼睛，好的，测验开始。

1. 打电话给你公司的前台总机：

● 多长时间以后你的电话才被接起？

● 接线员的开场语是什么？

● 接线员的语气如何？

● 你是否经常被接线员告知需要等待？等待的时间有多长？

● 如果你打电话是为了询问一些信息，对方回馈你这些信息需要多少时间？

- 对方回答你问题的质量怎么样？

- 你的要求能够有效地被反映或是满足吗？

- 在整个通话的过程中你是否感受到了对方对你的尊重？

2. 打电话给你公司的客服部门：

- 多长时间以后你的电话才被接起？

- 接线员的开场语是什么？

- 接线员的语气如何？

- 你是否经常被接线员告知需要等待？等待的时间有多长？

- 如果你打电话是为了询问一些信息，对方回馈你需要多少时间？

- 对方回答你问题的质量怎么样？

- 你的要求能够有效地被反映或是满足吗？

- 在整个通话的过程中你是否感受到了对方对你的尊重？

3. 从你公司的网站上订购一样商品：

- 公司的网站从下载到打开是否能在3秒之内完成？

- 你是否能够很容易地找到自己需要的产品？

- 填写订单的过程是否顺畅，没有什么麻烦也不必浪费时间？

4. 请你的一位朋友假装到你公司的前台去，并和前台接待员沟通，请求要见你：

- 前台接待人员是否及时接待了他？

- 这位来访者的请求是否被及时地记录了下来？

- 在接电话和照顾来访者之间，接待人员是如何取舍的？

- 来访者来访之后对于公司的整体环境和本次来访经历留下了什么印象？

5. 在公司的办公区走上一圈并注意观察：

- 办公秩序是否井井有条？

- 公司的墙壁、地毯、家具、灯具看起来是否整洁干净？

- 同事之间是怎么彼此打招呼的，他们会避开对方的眼神吗？

- 办公室里同事们的干劲如何？

- 卫生间和休息室的状况又如何？

- 是不是公司的布告栏里贴的都是员工的私人信息或是同事之间相约出去玩的活动通知？

- 办公区的整体环境是否舒适整洁？

- 你最喜欢哪位员工？

- 你最不喜欢哪位员工？

- 你希望在这样一个地方工作 20 年吗？

然而，令我惊奇的是，很少会有 CEO 或是公司的管理人员以这样的方式检验自己公司的运营状况。在大多数情况下，如果你给一个公司的客服打电话，电话里总是会告诉你："按1键可以解决……按2键可以解决……"但是想象一下，有哪位顾客会喜欢这种方式的客户服务呢？我曾经多次跟公司的老板们说起过，如果可以的话，请尽量不要使用这种形式的客服，为什么呢？因为从一个客人打电话到真正找到那个可以帮助他解决问题的工作人员的这一段漫长的过程中，客户早已经有了厌烦的情绪。一旦这样的厌烦情绪在心里产生，再想让他重拾在你的公司里曾有过的那种舒服的感觉就难上加难了。

情感和数据对一个人产生的影响是不同的。世界上有7%~9%的人是左撇子，这个数据没有什么人能够记得。但是我敢打赌，一个人永远也不会忘记那个曾对自己伸出左手中指的人。这就是负面情绪一旦引发之后所带来的后果。直至多年以后，我们还是会清楚地记得当初自己曾被谁看不起过。这样的一种情感信息早就已经深植于大脑中的某个部位，被长久地保存了下来。

在最近去欧洲的一次旅行中，我的信用卡号码被盗了。于是，我第一时间便致电信用卡公司报告此事，因为在那一刻，时间就是金钱。这件事情本来已经搞得我焦头烂额了，所以可想而知，当电话里信用卡公司的电子客服系统要求我在手机里输入23位电子密码，按照它的电子提示语言在各种按键中来回切换的时候，我都快发疯了。和客服人员通上话之后，我的愤懑情绪已经是刚开始时的两倍了。的确，我们要承认，人都是有情绪的。但是在商场上，谁能够更好地掌握和把控自己的情绪，谁就能赢得优势（关于应该如何在工作场合中控制好自己的情绪请参见第八章"情感中的非言语智慧"）。

如果你真的关心自己企业的发展的话，就一定要定期对全公司的系统进行检查。如果客户打进电话时电话里会播放背景音乐，那么一定要亲自听听到底放的是什么音乐。我记得有一次我给一家公司打电话时，他们的背景音乐居然是恼人的杂音，这显然是客户非常不愿意听到的。我的一个朋友在收听时，正好赶上了调频卡在两个频道间切换，使她足足听了5分钟的磁场噪声。

无论是你亲自做这些事情，还是请朋友帮忙做这些事情，其实都会是非常美好的体验和经历。如果不通过这些实验看看自己的企业在运营过程中究竟存在什么问题的话，那就可能有更多的客户会看到公司不美好的一面。一旦客户对公司的服务产生了不满的情绪，而公司员工却毫不知情的话，那么不管你再花多少钱从知名院校里聘用毕业生或是购买最先进的电脑办公软件也无济于事。所以，一定要拿出最认真的劲头和态度来对待公司最一线的工作——定期对公司的运营状况进行检查。

## 窗明几净，装饰如新，灯火通明

记得我还是个孩子的时候，有一次和爸爸一起开车到了迈阿密，寻找在那里的一家硬件专卖店。我们好不容易看到了一家，可谁知爸爸却开车直接过去了，没有逗留。"为什么我们不停车？"我不解地问道。"因为这家店的窗户太脏了，"他回答道，"这家店连自己的门面都照顾不好，我想它也不会将客户的利益照顾好的。"那次经历对我很有启发，从此以后我明白了什么事情才是重要的。

在第一章里我已经向大家介绍过"破窗理论"。这个理论讲的就是环境会对人的行为产生什么样的影响。好的环境会对人的行为带来积极的影响，而不好的环境则会给人带来消极的影响。这一理论应该引起每一个人的重视，并应该学会如何将这一理论运用到自己企业和组织形象的塑造上。比如说，与其他类型的连锁店相比，珠宝店的窗户一定是擦得最亮的。为什么？因为只有这样顾客才会往店里看啊！顾客们绝对不会有兴趣去向一扇脏兮兮的窗子内张望。如果你想把自己手中的一幢房子卖掉，房地产经纪人通常会建议你先做什么？修建篱笆墙、除除草、在房间里换上一幅新画。当然还有，把窗子擦干净——所有这些都能够帮助你的房子提高对买家的吸引力。

有时，即使是挑选银行，我们也要关注它的外部吸引力。你可能会说，银行就是银行啊，有什么差别。没错！正是因为所有的银行提供的都是同样的优惠贷款利率，之间没什么差别，顾客们才会从其他的因素来考虑到底挑选哪一家合作。考虑的因素主要有三个：这家银行的外观看起来如何，内部装修怎么样，以及对顾客的服务质量怎么样。要知道，除非是能够提供什么特殊商品，否则大多数的同行商家都不会有什么特别巨大的差别。

加油站的情况其实也和银行差不多，因为每个加油站卖的产品基本是一样的。有经验的加油站早已经发现，他们越是把灯开得亮亮的，越是会有大批的顾客愿意把车停在这家加油站加油。如果有两家并排的加油站，一家灯火通明、光鲜亮丽，而另一家却灯光昏暗、乌漆抹黑的话，那么我敢肯定，司机们一定会更愿意到第一家去加油，即使第一家的价格比第二家稍贵，顾客也还是会坚持这一选择。为什么？因为他们在第一家加油感觉更安全，更有保障。没有了安全感，人就不会感觉舒服。就像事物离不开能量一样，舒适感永远要以安全感为前提。两者相互依存，不可分离。

这种安全与舒适间的等价关系在生活中的每一处都有体现。在电梯里，由于乘客过多，大家挤得像馅饼一样，没有

FBI 教你破解身体语言
LOUDER THAN WORDS

白金
升级版

人会觉得舒服；站在悬崖边，处于生死一线的那一刻，没有人会觉得舒服；当发现鞋子里有一只蝎子，被吓得惊魂未定的时候，没有人会觉得舒服。我以前曾经在一所大学中教书，那里从没有人过问为什么大部分的同学不爱把车停在学校的停车场里。但是一旦被问起，大家共同的答案就是："因为那里的照明不够。"学生们宁肯将自己的车停放在街边的路灯下，也不愿意停在一个乌漆抹黑的地方。舒适感和照明度是事关人身安全的两大要素。有很多公司甚至因为为顾客提供的照明度不足而遭到起诉，因为在起诉者看来，照明度不足也是一种形式的威慑性犯罪。

安全感之所以重要是因为人只有在感到安全的时候才会感到舒适——这一点是汽车工人在为汽车装配安全气囊时发现的。其实，如果从保护性命安全的角度上看，仅仅在汽车里配置一个安全气囊是不够的，我就给自己的车装配了六个安全气囊。只要一辆汽车能给顾客提供良好的安全保障，顾客多花多少钱都觉得无所谓。尤其是孩子跟着一起搭车的时候，大人们就会更加注重汽车的安全性。

## ≋≋≋ 灯泡的秘密 ≋≋≋

迪士尼公司非常重视游客对迪士尼乐园的印象和看法，乐园的工作人员希望游客们从踏进这里的那一刻起，就能有一种进入魔幻世界的神秘感觉。迪士尼乐园定期就会被粉刷一新，因为在神奇的乐园里没有什么东西会被抓、被挠或是被磨损。如果乐园开放的前一晚下雨了，那么所有工作人员一定会赶在第二天开门之前就将各种游乐设施的表面擦拭干净：一个神奇乐园中的任何一件东西都不应该被损坏或是污染。每个夜晚，迪士尼乐园里都会举办大型的花车表演，上百名演员身着亮丽的演出服为游客献艺。在表演前，演员们必须确保服装上的每一个小灯泡都是亮的，因为只要有一个灯泡不亮都会被敏锐的游客发现。尽管这样的一场表演下来，公司需要支付的成本不少，但是这也恰恰是整个乐园神奇与神秘之所在。迪士尼乐园之所以办得如此成功，秘诀就在于整个运营管理的过程中，任何细节都不会被忽视：从游乐设施的安全性、乐园内部环境的整洁性，再到工作人员的专业性，所有的细节都要做到最好。当然，演出服上灯泡的亮度也是这一商业成功秘诀的有力说明。

其实，注意修饰和维护组织的外部形象，就和前面一章里我们讲到的，一个人要注意自己的外形的道理是一样的。把自己打扮得漂漂亮亮，大方得体是对他人表示尊重的一种方式。所以说，一些看似细小，甚至微不足道的"装饰""打扮"，其实是很有必要，甚至是非常重要的。我常问一些向我咨询的客户这样一个问题："你们的企业向外界传达的到底是什么样的信息？顾客能从中体会舒适整洁、诚实可信、井然有序吗？这些东西在你的心里到底是被摆在了第一位还是最后一位呢？"我要说的是，舒适整洁、诚实可信、井然有序，这三点无论在你的心里被放在第几位，但是在顾客的心里它们永远是被摆在第一位的。

## 〰〰 适合恺撒大帝的行宫 〰〰

我经常有机会在拉斯维加斯的恺撒宫内教课。有一天，我注意到有几位粉刷匠一直在恺撒宫外伫立。拉斯维加斯的酒店和宾馆是非常吸引人眼球的，因为经常会有工人对建筑物外表进行粉刷，就连法国的埃菲尔铁塔也是一样，所以看到这些粉刷匠一点也不奇怪。然而最令我感到奇怪的是这些粉刷匠们竟然动用了如此多桶的油漆！我走上前去问其中一位工匠这是怎么回事。"看见这座雕像了吗？"他指着附近的一座说道，"这座雕像比它后面那座白了一点点，显得比较突出。这座行宫内的每一样东西应该被粉刷成什么样的颜色都是有规定的，虽然有些物件外表看起来都是白色，但实际上我们一共使用了18种不同样式的白，20多种不同样式的米黄色。"

175

当一个人走下飞机时，他马上就可以看到这些雄伟而古老的建筑。无论什么时候，这些建筑总是显得光鲜如新。任何在走廊上残留的磨损痕迹都会在3个小时之内得到重新粉刷。居住在此一定很贵吧？当然。但是尽管如此，来此停留或者游玩的人们还是络绎不绝，上座率达到92%之多。这座美丽的宫殿绝对不会让游人失望，因为它在外表修葺上下的工夫绝不是一般人想象得到的。只有端庄、秀美、干净、整洁的地方才能给人带来舒适的感受，而这种感受反过来又能够为商家创造巨大的利益和成功。这就是人们对这里流连忘返的原因。

## 红地毯没有说的秘密

从某位客户走进你公司的办公区开始，他会受到什么样的待遇？客户可以很容易地找到指路标吗？会有公司的员工马上走上前去招待客户，或对客户的要求提供帮助吗？在客户眼前展示的会是一番井然有序的还是乱成一团的工作画面？安全问讯处的布置是否给人以威严肃穆之感？前台人员是否能够既提供给客户需要的信息，同时又保证不泄露公司的机密？有关公司的每一点每一滴是否都经得起客户的考验和推敲，进而充分证明任何一个细节都不会在此被遗漏，我们关注您的所有呢？

无论你的公司是只有一间办公室还是拥有一座大楼；无论你的公司是仅由几个小房间还是由好几个宽敞的套房组成；无论公司外观的设计方案采用现代的开放式还是遵循传统的制定式；无论在吸引顾客的方法上是颇具创新意识还是仍旧顽固保守，有一条原则是不变的：你想给客户传达的永远应该是一种有秩序、有效率、有效用和有干劲的表现。因为所有这一切都在向顾客表明：我们会悉心照顾与你的利益密切相关的一切事情。以下是几道检测题，不妨试着做一做。之后你会发现，办公室内的非言语智慧不仅会影响客户对公司的印象和看法，同时（想想"破窗理论"）还会影响公司员工的行为和工作态度：

- 办公室不是自己家。在办公室上班总要遵守一定的规矩，而这些规矩不可能由着自己的喜好来定。就好比公司会对员工上班期间的穿着进行必要的规定一样，我们需要为每一位员工制定一套详细的工作守则。

- 干净整洁的形象有助于赢得他人的信任。干净整齐的外表会让客户认为你是一位值得托付的工作人员，可以帮他管理好财物和工作等一切事宜。

- 少显示自己，多照顾客户。在与客户的交流中应该尽

177

量少表现自己对某位政治人物、卡通形象或事物的喜爱或偏好。即使是你不经意间摆放的一张私人照片都有可能成为对某些客户的一种冒犯。以前我有一位同事把自己一家三口放假时在游泳池旁嬉戏的照片摆放在了办公桌上。哪想到有人说这样一张照片"有伤风化"。我的这位同事从来没有想到在当今这样一个开放开明的时代，妻子的一张在水过腰的游泳池中身着普通泳衣的照片会惹来这样的非议——这个例子再次告诉我们，一定要注意自己的一举一动，因为有时非言语行为给别人透露的信息自己是意识不到的。

● 座位的安排尽可能灵活随意。沟通各方之间的座位如果能够成角度摆放，且座位之间不设任何障碍的话，将有助于沟通质量的大大提高。不是每一个工作单位都能做到这一点，但是如果可能的话，我建议大家都能采纳这个建议。即使是椅子被摆放在了办公桌的对面，那么两者之间也一定不要有任何阻碍双方视线或交谈的障碍物。

● 电脑成为了与客户交流中的障碍。除了那些以数据输入为主要工作内容的员工之外，其他工作人员尽量不要把电脑摆放在办公桌的正中央，而要放在一边，以免让电脑成为和客户之间良好沟通的障碍。

有的时候我们感觉公司里的陈列已经完全能够满足客户的一切舒适要求了，但实际上并不尽然。我曾经在一家法律公司任职，那家法律公司有一个非常宽大、漂亮的接待台。旁边是一间能容纳 8 人的小型会议室，而主会议室能够容纳 20 人左右。每间办公室之间均成 90 度角，且由透明、通风的法国式大门相连。哪成想，后来这家公司的主要合伙人告诉我，只过了短短 9 个月，他们就不得不在大门前挂上窗帘。因为他们发现，凡是来请求打官司或者申诉的客户都不希望自己在大厅内被其他客户看到。其实不难想象，当一位女士在办公室里和她的委托律师商讨离婚案中的重重困难时，怎么会希望被其他人看到呢？她当然希望拥有一个私密的空间。所以说，尽管这扇玻璃大门非常漂亮，但是最终商家们还是意识到，给自己的客户提供一个私密的谈话空间才能为自己带来"舒适红利"。

## 抓住一切机会令客户感到舒适满意

食品市场的生意并不好做。很多人并不清楚，其实做食品生意的利润还不到 5%。如果你恰好做的是这一行，你一定要懂得如何让顾客快乐购物、舒适购物，最好能使其变为自己的常客并永远放心地在你这里购买食物。在佛罗里达有一家名叫 Publix 的连锁超市。这家超市内的东西价格并不便宜，但是它门前的停车场却总是满满的，原因就在于这家超市深谙如何令顾客放心、安心和舒心之道。以下就是几条 Publix 超市经营的生意经：

⊙ 停车场内永远不会停放着一辆辆无人整理的购物车。购物车长期堆放在停车场内不但会堵住来往车辆的通行，还难免会刮伤一些汽车的外皮。超市安排了专门的工作人员及时对停放在停车场内的购物车进行清理，为开车前来购物的顾客提供方便。**生意经：我们重视一切您所重视的事情。**

⊙ 在 Publix 超市中，你向任何一个员工询问某种商品的位置，无论是收银员、仓库管理员还是超市经理，他们都会马上停下自己手中的工作，不仅告诉你货物摆放在什么地方，还会亲自把你带领到相应的位置才走。**生意经：满足客户的需求是我们最大的职责。**

⊙ 如果赶上下雨的话，有雨伞的员工会主动为顾客撑伞，直至顾客上了自己的车。而且在这个过程中，超市员工绝不允许收取顾客给的任何小费。**生意经：顾客的舒适就是我们的工作。**

⊙ 员工身上的文身不可以显露出来，男性员工不许戴耳环或留长发。所有员工必须衣着得体才能来上班。**生意经：您可以绝对放心地在本超市为全家购买卫生的食物。**

- 如果顾客担心从超市到停车场这一路的个人安全，那么超市经理会亲自陪同或指定一名员工陪同顾客走到停车场之后再离开。**生意经：我们非常重视您的安全。**

- 无论您由于任何原因，不再喜欢之前购买的产品，超市可以无条件地为您退货。**生意经：我们永远以您的需要和要求为先。**

- 收银员永远会对您笑脸相迎。**生意经：您的到来让我们感到万分高兴。**

这家超市的运营方式有点不一般吧？我在佛罗里达前前后后一共住了 40 多年，亲眼目睹了一家又一家的店铺像走马灯似的开了又关。但是唯有 Publix 这一家能够做到长盛不衰，不断扩大经营，即使是商品的价格偏高也从未流失过自己的客户群。因为在这里，客户的利益永远被摆在第一位。

一个运营良好、管理得当的团队对外界产生的吸引力远远不只来源于外表的粉饰或是悬挂的窗帘。它不仅仅能够吸引顾客进门，还能使他们愿意长时间地待在这里，在自己每一次的经验和体会中都投入感情。

今年上半年，我一直想买几部电话。对于到底买什么样的电话其实我已经做了一点研究了，但还是有些问题拿不准，于是就想再多转一转，挑一挑。我来到了一家名叫 Sprint 的商店，跟着商店门前的指示牌走了进去，并坐下来等待。在等待室的中心摆放着几把与在公共医疗卫生机构里摆放的相类似的椅子。而看看其他等待着的顾客，不是显得无精打采就是显得无聊透顶。虽然顾客的旁边放置了各种样式的电话，但是由于距离太远，顾客很难看得到。况且，这些电话均被放置在了玻璃柜台之下，根本没有机会去自己观察或是触摸电话本身。所以最终，尽管我从等候室出来后走进了销售大厅，却什么也没买，空着手出来了。

后来我又紧接着去了苹果商店。刚一进门就有一位引导员热情地接待了我，问我需要什么样的帮助。实际上，当时在场又需要被提供服务的顾客还有很多。当我告诉引导员自己想看看电话的时候，他主动把我引向了卖电话的柜台并流利地解答了所有我提出的问题。接待员优质的服务态度和全面的信息介绍，让我感到这次购物非常轻松愉快——后来我还试了试其中几部电话的效果。

提货付款时，我并不需要排很长的队，这位销售引导员用夹放在臀部后面的便携式机器轻轻按了几下，便完成了全部的付款出货程序，并告诉我买东西的发票回家后可以直接在电子邮箱内查阅。这样的一次购物经历真是痛快。若是去那些只有工作日才开门的商店买东西的话，至少要花费 15 分钟，因为那些商店通常只有两条付款通道。去那种商店购物，消费者明显的感觉就是：商家在乎的是你的钱，而不是你的时间。

经过这件事之后，我终于理解了为什么苹果商店里的购物者总是络绎不绝。在迈阿密附近的 Aventura 购物中心，每天都有专门发往苹果的列车。苹果之所以经营得如此成功，不仅仅是因为它有好的商品，还因为它所做的每一项工作都让顾客感受到关怀和照顾。有一次我的朋友造访，还专门去苹果逛了一圈，为的就是去享受只有在那里才可以享受到的舒服的感觉。而且逛到最后，他总会买一些东西带回去。有多少家商店可以像这家商店一样，顾客把去那里购物当做一件事情去完成？恐怕不多吧。

## 〰️ 顾客的需求再小也是大事 〰️

"我们已经为备用方案的设计忙了整整一天了。"安保部的领导边挂上维修部刚刚打来的电话边说道。他口中的这个备用方案指的是为 Busch 植物园设计如何抗击严寒，保护园内植物的方案。根据气象部门对当晚天气的预测显示，将有一场寒流来袭，寒流有可能破坏甚至致死城内的多种植物。安保部的领导说："为了保证第二天植物园的顺利开放，我们必须在第二天早上植物园开门之前将所有冻死冻伤的植物都替换下来。而且这种替换将不会只是个别盆栽的替换，要换就要换一整排。这位领导已经明确表明，游客之所以要来 Busch 植物园参观，为的就是看到美丽顽强的植物，尤其是娇艳的鲜花，他们不会管是否有寒流的到来。正因如此，我们已经准备了专门的花房，在里面培育了大量的鲜花和绿色植物。就算是游客早上 9 点钟就来到植物园游览参观，我们也同样能够保证让他们看到一个"毫发未损"的 Busch 植物园。

　　上面我举的这个例子看起来或许有些极端，但事实上每一点都充分体现了一个重要的思想，那就是顾客的需要永远要被摆在第一位。从公司的最高管理者到任何一名普通的员工，都应该把这一条工作准则时刻记在心里。有一天在我开车回家的路上，看见一辆联邦快递公司的运件车停在了小区内的一台邮筒旁边。司机下车之后主动拿出抹布将邮筒擦洗得干干净净。我想这就是"顾客利益至上"的最佳诠释吧。从这样一个小小的举动当中，我们可以看出一家公司对员工的要求是什么样的，同时也能够从这位员工的身上看到他热爱干净与整洁的美德。人都是崇尚干净、整洁和有序的。这是人类的天性，谁也改变不了。

## 如何表现出对客户重视？

最近我受他人之邀去为一家设立于纽约，刚刚装修好的公司进行陈列评估。这家公司装修得相当漂亮——干净的走廊、明亮的灯具，时尚而又绝不流俗，让人看了之后马上就有这样一种感觉：这样的一家公司一定是由一个精明又能干的团队运营和管理的。他们不仅仅以前有着良好的业绩，今后也一定会干得越来越好。这家公司所经营的业务涉及大笔的资金流，有很多客户的个人信息都在这里委托保存。看了一圈之后，我说："所有的安排都很好，但是只有一件东西你们落下了，而且这样东西必须马上增补上——在每个房间都放上一台碎纸机，而且要放在客户看得到的地方，尤其是在你们的会议室和接待室里，必须放上一台。"

"之所以要这么做是因为你们这里的员工都太年轻了，公司本身也很年轻，刚刚成立了六年。你们的每笔业务都是在用客户的钱运作，"我解释道，"所以你们必须要使客户对自己形成这样一种印象，那就是，这家公司不仅仅在处理自己的业务上会非常小心谨慎，对于客户个人信息的保密工作也会更加地小心谨慎。每次开完会之后，一定要把所有的已经无用的会议记录等纸张放进碎纸机粉碎。客户其实与我们一样，对信息间谍和盗窃的事情非常敏感和担心。客户对一家公司的保密工作做到什么样的程度非常清楚，所以将一些已经无用的纸张尽快粉碎会使客户感到更加放心和安心。

就像从事与健康医疗有关的职业的人必须要勤洗手一样，做金融或私人信息保护职业的人也必须学会使用碎纸机来在必要的时候销毁部分信息。随着盗取类事件的频繁发生，我的很多客户都希望公司里能够多摆放几台碎纸机。顾客的这一要求充分体现了他们对自身信息安全的重视，同时公司也只有在把这部分工作做好的前提下，才有可能接到更多的生意。

还有另一家投资公司，也是我的客户，告诉了我他们是如何凭借自己紧跟各种行业信息的优势，为投资者提供有竞争力的建议的。"这真是太棒了，"我说道，"但是你的投资客户知不知道你告诉我的这些内容呢？"看着他们一头雾水的样子，我继续说道："你们希望自己的客户能够看出贵公司是在获取各行各业信息方面的'领头羊'，但是人都是视觉动物，客户需要真真正正地看到你们获取的这些信息，以及你们是如何处理和管理这些信息的。让客户通过大屏幕看看公司员工繁忙工作的情景就是一个不错的方法。不要只把客户们请进一个小小的办公室，用一个很小的屏幕就想糊弄过去，那样做的效果是完全不同的。看小屏幕对于客户而言跟自己在家看电视没有什么区别，客户很难从这里面感受到公司员工强大的处理信息的能力。你真正想给客户展示的是源源不断的信息汇总到公司这一中心地带之后是如何被迅速处理的。所以，不妨像这家投资公司那样在自己的办公桌前摆放一个大屏幕吧，它会使你公司的业务更加出类拔萃，在所有今年我参观过的 23 家投资公司之中脱颖而出。拥有不俗的办事能力顶多能够使你变得出色，只有拥有了让别人感到放心舒适的能力才会让你变得卓越。"

后来，公司里果然设置了大屏幕，员工们发现很多客户都被屏幕吸引，驻足于大屏幕之前，去真真切切地看一看自己的投资去向。在没有这个设备之前，客户最多只能通过印刷出的纸质版信息了解自己一笔笔资金的流向，或是只能靠公司工作人员的口头介绍而已。现在不同了，有了这个大屏幕，任何一笔小小的投资都能为客户释放出大量真实的信息。整个过程既有利于客户的亲身参与，又帮助公司塑造了可信高效的形象。

很多非言语信息的创造和使用其实并花不了我们多少钱。比如说名片，这就是一种非言语信息，造价不贵但却能给客户留下深刻长久的印象。名片本身就是一种个人信息和魅力的传递载体，它可以反映你所从事的职业——银行家和律师的名片肯定和房地产经纪人的名片设计不同，因为前者的名片上经常带有自己的照片，且不会出现任何可爱或滑稽的形象。所以，无论你从事哪一行的工作，多研究研究行业规则，看看同行们都是怎么做的。慢慢你就会发现大家那样做的重要意义。

如果你目前正处于待业阶段或是准备更换新的工作的话，一定要为自己制作几张名片，用名片来推销和介绍自己。即使是要跳槽了，也应该用收发名片的方式为自己扩建人际关系网络，多认识和接触一些朋友或者同事。一旦使用了某个邮箱或手机号码之后就尽量不要再更换，因为一旦更换了新的，朋友就很难再找到你了。

我还一直倡导的一点是让公司里的每一名员工都在胸前佩戴印有公司标志的徽章。一枚小小的徽章可以增加员工内心的归属感，吸引他人的注意力，甚至是招揽生意。有一次我就是因为佩戴了 JNForensics 公司的徽章而意外地获得了成为公司发言人的机会。JNForensics 公司的标志看起来像个拼图，正是因为它形状的与众不同，所以很容易吸引别人的注意力。有一次，一个客户问我："你们公司的这个标志很特别啊，它代表什么意思？"我答道："这是一块拼图，它的含义是这样的……"一番解释之后，客户突然说道："我们的公司正在寻找一名发言人……"你看，所有的机遇只是因为这样一个小小的徽章。

如果你还是感觉不到徽章的重要性的话，那就不妨看看周边有多少家公司的员工胸前都别了带有公司标志的胸针了吧。美国总统奥巴马曾在大选展开前被著名评论员卢·多布斯和美国 CNN 电视台批评，认为奥巴马身上应该体现出更为浓烈的爱国情感，最好能在胸前佩戴一枚美国国旗的小徽章。奥巴马总统马上接受了这一建议，在后来的每次公开亮相中，他都会佩戴好国旗徽章之后再出场。

其实除此之外，生活中人们可以利用的小装饰还有很多，只是大多数情况下我们自己意识不到而已。比如说一个小小的手提箱，如果在箱子上面贴上行李的标签，那么你很容易就能辨认出这个箱子属于你。还有一些标志能够帮助人与人之间快速辨认出彼此的身份，谁知道你的下一个客户会不会因此而出现呢？

## ≈≈≈ 如何管理员工表现？ ≈≈≈

在大多数情况下，员工之所以不能够很好地在工作中实践"破窗理论"，有一个重要的原因，那就是处在糟糕的工作环境中。就好比服装穿着不得体的员工也不可能表现得得体一样，不注意营造工作环境上的细节，也必然会反映并蔓延到员工的日常工作表现和态度上。我曾经入住过这样一家酒店，墙壁破得直掉皮了，护墙板也已经支离破碎了，这样的一种环境，一看就知道客人在这里得不到什么好的服务或照顾。如果这家酒店的经理再不对现有的环境进行整改，继续让房间的外观如此破旧松散，那么终有一天员工的工作态度也会相应恶化下去，而且愈演愈烈。久而久之，员工会对任何事物都显得毫不在乎，漠不关心，在酒店里随便摔摔打打、大声喧哗、衣着不整，逐渐忘却了维护酒店的形象和履行自己的工作职责。现在酒店的墙壁上就已经露出小窟窿，走廊上也是又脏又黑了，若是还不注意卫生的话，这家酒店恐怕只能歇业关张了。

反过来，如果酒店的经理能够用实际行动来证明自己对工作的重视，比如重新将酒店修葺一新，重视服务中的细节的话，那么员工就会从中感受到一条非言语信息——重视细节是非常重要的。不仅如此，你猜怎么样？员工还会为这一点感到非常骄傲。我之所以会这么说是因为我曾经在几家类似这样的公司中与员工们聊过天，他们会为自己在一家业绩卓越，服务到位的公司中工作感到非常自豪。谁会想在一家死气沉沉，半死不活的企业中耗费生命呢？每个人都希望以自己的工作单位而骄傲，同时也会为自己为公司做出的每一点贡献而感到骄傲。所以，一件事情，领导重视了，员工就会重视，而领导和员工对工作的重视，消费者是看得见的。

如果你还没有把自己对员工的工作期望和要求告诉他们的话，那就不要责怪他们之前违反了你的工作期望和要求。

作为一名领导者，虽然不能独裁但是指令必须明确。为每一位员工到底应该如何对待顾客制定一份守则：顾客等待的时间最多不能超过多少？销售或者服务人员应该如何与顾客沟通等。销售和服务人员是站在第一线的，是公司形象的实际代表，他们是否能给顾客留下好的印象是非常关键的。

## 〰〰 那么，行动！ 〰〰

1982 年，托马斯·J.彼得和小罗伯特·H.沃特曼共同出版了一本名为《追求卓越》的书，这本书的主要内容是分析了全美各大著名企业的经营与管理，是当年最畅销的图书之一。作者发现，所有成功的企业基本上有 8 点共同的地方。有意思的是，8 个成功要素中有 4 个都是与非言语行为相关的：行动、满足客户需求、领先、领导力和亲和力。依照彼得和沃特曼的观点，一个领导者在给定情景下的行动意志和能力——真真正正地去做一些事情，去做那些看起来正确的事情——是成功的关键要素。而不作为，则会对一家企业产生摧毁性的影响和打击。不作为往往是一位领导者本身临危受怕、缺乏信心的表现，重者将会摧毁整个企业的发展，轻者会影响公司成长的脚步。

　　我向来非常佩服万豪国际酒店的一个经营理念，那就是永远将公司对员工的工作期望以及训练要求清清楚楚地和员工进行沟通。这家公司永远要保证每一名员工——无论是女服务员、侍卫还是酒店经理——早上到达酒店后必须向每一位经过的顾客问早安。这样做的效果非常明显。而反观另一家酒店，员工从顾客身边经过连看都不看一眼，顾客非但得不到热情的接待，还老觉得自己做错了什么事情似的。在万豪国际酒店，无论是走进还是走出，你所受到的那般热情的接待和招呼总会令人感觉非常温暖，整个饭店也随之被染上了一丝特别的感觉。

　　小事情总是能起到大效果。有一天我在一家餐厅吃饭，看到一位服务生在顾客面前发短信。到底是什么重要的短信非要在工作的时候发？这就是这家餐厅对员工培训不到位的地方：休息的时候你可以打电话、发短信，但是在餐厅工作的时候员工不允许使用手机。最近这段时间，我居然发现在飞机上的客服人员也在工作时间内使用手机。舱门还未打开，有些客服人员就已经迫不及待地打开手机发短信或是打电话了，这使赶着下飞机的乘客们无人照顾。

话又说回来，其实，教给读者们再多的非言语智慧和技巧也比不上两样东西重要：积极的做事态度和时常挂在脸上的微笑。有一天我和客户约好在一家咖啡厅喝咖啡。走进去之后，我发现这家咖啡厅的收银台前居然没有订餐卡片，于是我便问收银员这家餐厅有没有服务卡。当时这位收银员正忙着收款，没有主动帮我找一张也就算了，看也没看便说："我们现在没有那样的卡片。"就她这一句话，我以后再也不会光顾了。可是相反的，有些暂时也没有服务卡的餐厅的收银员，态度则是非常认真礼貌，他们会递给我一份影印版的菜谱，并微笑着说："我们的联系方式已经写在上面了。"

比尔药房是佛罗里达布兰顿地区一家非常有名的药房。约翰·诺瑞嘉几年以前从父亲比尔手中接下了这家药房。比尔药房自 1956 年建立之时起就一直延续着成功的传奇。如果从地理位置上讲，比尔药房可并不算得天独厚，它的旁边就是另一家名叫沃格林斯的药房，一公里内还有其他三家国家级的大药房。但是尽管如此，人们还是会不惜从奥兰多驱车一个多小时到比尔药房买药。为什么？因为这家药房里的每一名员工，无时无刻不在勤快地干着手中的工作。在这里，无论你有多大的问题，员工都会想方设法帮你解决。担心药费保险公司不给报销？药房的工作人员会帮你搞定。担心医生不接你的电话？药房老板约翰帮你搞定。如果你无法开车赶到这里，比尔药房还会派车去接你。如果你需要医师帮你解释或回答一些问题，这里的药剂师一定会耐心地帮你解答所有的问题，而不是仅仅丢给病人一张打印出来的资料。只要你走进比尔药房的大门，就马上会有热情的工作人员接待你，甚至准确说出你的名字。想想，在现在这个时代，还有几家药房能够给予顾客这样细心的照料？

其实在我家不远处就有两家其他的药房，走着就能到，但是我还是愿意驱车 28 公里到比尔药房去买药，因为那里优质的服务和友好的氛围让我觉得多付出一点辛苦也是值得的。能给人这种感觉的商家能有多少呢？比尔药房从不惧怕同行间的竞争，因为无论是在药品的质量还是服务的质量上他们都没有对手。比尔药房的经营水平就像行业里的标杆一般，其他同行是很难模仿的。由于比尔药房的良好声誉，顾客们宁肯多走一点路也要到这里购买药品。其实，比尔药房的经营模式并不复杂：好好照顾顾客，从他们迈进大门的第一刻起就第一时间采取行动为顾客服务。只要坚持这么做就永远会有回头客。

与行动一样重要的还有办事的态度。态度虽然是一种很难量化的东西，但是它却能为公司带来切切实实的好处或者损失。大多数情况下，一个人的态度不仅仅是通过语言表现出来的。糟糕的态度从一个最简单的皱眉或是不经意间流露出的轻蔑神情中就足可以感受到了。没有人会喜欢没有礼貌的服务人员，而糟糕的服务行为更不可能得到消费者的认可。

谈起态度的问题，不禁让我想起了一家设立在纽约的国际银行。这家银行的前台永远站着热情洋溢的员工，负责接待每一位前来拜访的投资者。就是这样热情真诚的微笑和举动，给人留下了美好而长久的印象。

在职场上，有这么几条原则是非常重要的：同事之间不要相互否定，而要相互帮助；员工要具备很强的口头陈述能力，因为这直接影响着他的工作表现和老板对他评价的高低。如果可能的话，老板应该将这些原则在员工被聘用来之前就告诉他们，而不要等到被聘用之后再说。有很多员工都希望自己能够表现卓越，实现成功的梦想，但是要想做到这一点他们最需要的就是有经验的人对自己进行指点和帮助，告诉他们做什么有用，做什么没用，做什么可以给别人留下好的印象以及如何更好地规范自己的日常表现等。得到了这些方面的指点之后，员工会变得更为亮眼和能干。

说起规则的制定，你要谨记两条：相互间的镜像模仿和行动一致是使人感到舒服的两大要诀。对员工的言行设立一个共同的规范不仅会使员工从中受益，也会使消费者从中受益。这个规范中可以包含很多关键词：员工士气、团队精神、共同愿景和精诚合作。我称以上的这几个关键词为通往卓越的"不二法则"。它是我们每一个人都必须努力追求的，而且只要你愿意投入一定的精力和努力，就一定能够实现。

## 〰 如何当好接待员 〰

去年我曾经受时代华纳之邀到华纳大楼录制一期电视节目。大楼的地理位置非常好，里面的装潢摆设也很漂亮，能上这个节目我感到非常高兴。在被允许进入演播室之前，我首先要接受接待台和安全处的检查。走到前台的时候，接待员正在整理 ID 卡片。面对已经站在她面前的我，竟然连头也没有抬。"我听着呢。"她低声说道。

我一言不发。

接下来的几分钟她还是没有抬起头，只是说了一句："我听着呢。"

"哦，好的，那你听着，"我回答道，"把身子坐起来，看着我的脸，然后对我说：'下午好，先生。'"

这时，她终于抬起头看着我，脸上的表情就像一个废话连篇的人突然被一个自己不敢招惹的上级打断一般的尴尬。她这才猛然间意识到自己做错了什么。面对我那双直直盯着她的眼睛，这位接待员意识到了自己不该如此粗鲁无礼。在我说明了自己的来意之后，她更是连忙为刚刚的鲁莽而解释和道歉。

现在，每当我再次经过那座大楼时，已经想不起那次的录影经历，但是唯一残存在脑海里的就是接待员那句冰冷难听的话："我听着呢。"我甚至可以想象，每天在大楼里上班的工作人员们面对这样的一位接待员会是什么样的心情。说到这里，我又想批评那些公司的高官们了：为什么不定期检查自己公司的运营系统，让那些言语极不得当的员工趁早离开？

从实际的角度出发，前台接待员和电话接线人员是最能代表公司形象的，因为他们是公司与顾客接洽的第一人。我时常提醒我的客户：你们在聘用员工和培训员工上都不惜花费重金，但是千万别忘了去好好培训培训那些工作在第一线的，与客户最先接触的员工。因为客户最先接触的并不是你，而毫无疑问的是，客户最先与谁沟通就会最先将信任交付给谁。他们的表现会直接影响客户对公司的第一印象，所以这项工作绝对不能马虎。第一印象是非常重要和关键的，也正是由于这个原因，我们才对工作的环境和条件如此在意。

成为一个合格的接待员并不是件容易的事情。干这一行的人都知道，这份工作的薪水并不是很高。但是这个岗位却综合了接电话、前台服务和其他支持性工作等多项任务。接待员需要了解客户的要求和希望、合理安排好各项工作的主次、知道如何与人打交道、如何大方得体地说话办事以及如何让客户感到舒服和满意。

所幸的是，要想培养一位出色的前台接待人员并不是什么特别困难的事情，在短短的一个小时内，只要方法得当，你可以给他们提供很多工作中需要注意的有用信息。利用这一个小时的时间，你可以主要谈谈以下几个方面：

●每个工作人员必须掌握一套特定的接待客户的用语（下文中为你介绍了几个神奇的词汇）。必须向工作人员强调，这套用语是接待客户时唯一被允许使用的版本。

●讲一讲与客户进行眼神交流的重要性。和客户进行眼神的交流可以透露出对他们的尊重。

●排清工作的先后次序。面对一个已经站在你面前的客户，无论手头多么忙都要先放下工作，照顾好客户的需求。即使当时正在打着电话，也要先停下来，以照顾眼前的客户为先。

●如果电话铃声响了，顺手去接电话是每一个人正常的反应。但是如果有顾客已经站在了你的面前，那就要宁可不去接那个电话也要先把眼前顾客的利益照顾好。要知道：如果打电话的人有重要的事情，那么他一定会再打回来。可是眼前的顾客走了的话，很可能再也不会回头了。

●嘱咐好工作人员一定要注意保护公司和客户的私人信

息——无论是口头的、书面的还是在屏幕上显示的信息都要注意保护。

- 强调公司的服装规定，并强调第一印象的重要性。

## 〰️ 神奇的 11 个词汇 〰️

世界上有这么 11 个词汇最能表达热情的欢迎与尊敬的感情，同时这 11 个词汇也很容易让听者获得一种舒服的感觉。接待前来拜访的客户时，前台的工作人员必须学会使用它们：

"早上好（或下午好），先生（或女士），我能帮助您吗？"

除了这样的规范用语之外，其他的语言一概不能被允许或者接受，比如"什么？""嗨，您好吗？""我能帮你吗？""嗨""嗨呀""怎么了？""哦？"或者"我能为您做什么吗？"这些都是不能被允许的。能且唯一可以被接受的问候语就是："早上好（或下午好），先生（或女士）我能帮助您吗？"工作人员说这句话的时候必须面带微笑。其他任何偏离这项规定的行为都是不被接受的。

下面我们就针对以上这一点，进一步谈一谈对一些非言语行为的要求：

- 边说边直视客户的眼睛——这样才能表现你对客户的尊重和重视。

- 脸上随时保持着应聘工作时才会露出的微笑——一定不要忘记，微笑是最重要和最有效的非言语沟通方式。

- 在帮助前来拜访的客户解决问题之后，再接下一个电话。

- 对于客户提出的一切咨询服务要求请务必尽快完成。

- 想尽一切办法让顾客觉得你的所有忙碌和辛苦都是为了他们。

- 与客户在一起时，无论在任何状况下，都不要露出不尊重的神情，如转动眼珠、不自然的笑、冷笑等。

- 办公期间不要阅读杂志或上网冲浪。

- 办公期间不要打私人电话——不要以为别人看不出自己的电话是打给亲人和朋友的，不必存在这种侥幸心理，打私人电话的表现是非常明显的。

## 捍卫细节

一旦为自己设定了办事和与人沟通的目标或是行为准则，就要坚持不懈，专心致志地维护并且完成它。因为任何一点点小的松懈都有可能成为自己行为准则不断降低乃至沦丧的开端。没有人会从主观上愿意放纵自己，但是一旦有一次对自己"法外开恩"，放松了要求，再想重新振作和精神起来就难了。渐渐地，你再也不会重视与客户交流中的工作准则，电话铃响的时间再长也懒得拿起来听，工作之间的茶歇时间越来越长，摆在厨房餐桌上的抹布即使脏得不行了也不愿意主动地去洗一洗。这些东西也许你自己不在意，但是顾客们可都是看在了眼里。一旦这种印象形成在他们的脑海中，就有可能再也抹杀不掉了。千万别忘了咱们前面提到过的"闪电式评估法"，也别忘了让客户们舒心和放心，是每一位公司员工不变的职责。捍卫细节是我们每个人永恒的人生坐标。

## ≋≋ 视觉吸引力 ≋≋

请读者回答以下问题：

如果你不能在一家网站上找到自己需要的信息，那么你会在这个网站上停留多久之后将其关闭？

A. 3 秒钟

B. 7 秒钟

C. 10 秒钟

D. 15 秒钟

答案是：B

网站虽然无法有声地与浏览它的客户进行直接沟通，但它却是一个很好的可视媒介——毕竟浏览网站可能是顾客了解一家公司的第一步。很多商务人士很少问这样一个问题：你觉得我们公司的网站做得怎么样？评判一个网站的好坏，不能仅仅看这个网站是否把组织内部的信息都公之于众了，而要看它是否真真正正地把自己的网站当做了一个收集和反映群众意见的渠道和媒介。一旦以这样的角度去看待网站这一事物了，你就会更有针对性地去倾听网民的建议和意见：在这个网站上下载东西太慢了；这个网站上发布的信息过于分散，要找一条信息需要花费很长的时间等。也就是说，公司平时一定要注意收集和处理来自各个方面的评价与反馈，这对于公司改善和打开自己的业务非常重要。正如世界著名网络研究专家 Amy Africa 所指出的那样（www. eightbyeight. com），其实人们愿意花在网络上寻找信息的时间是非常有限的，如果在 7 秒钟甚至更短的时间内他们找不到自己想要的信息的话，除非这些信息是急需的，否则人们肯定会马上把注意力转移到别处。

## 〰〰 做好网络建设的黄金法则 〰〰

- 从网站上下载东西的速度一定要快。
- 商务人士对信息的要求是快，而不是光鲜。

●网站的设计要能吸引眼球：用色不能太过炫目，画面不能过度摇晃，展示在网站上的任何事物都要清晰易见。

●每一张网页上设置的选项内容不能过多，以4~5项为宜，如果不够可以添加页面数量。但是千万不能在同一张网页上设置太多的选项——这会给用户带来头晕目眩之感。

●网页选项的设计标准要以浏览者的信息需求为导向，比如将各式各样的信息分门别类地挂在不同的页面上就是一个好办法。

●设计网页时要注意插入视觉图像。视觉图像可以在文字和音效的基础上进一步加深浏览者的印象，烘托情感。别忘了，视觉皮层可是人类的大脑中一块非常重要的组织，所以视觉的力量是万万不可被忽视的。

●网站的建设永远要以快速和简约取胜。一个页面设计单一但是弹出速度快的网站永远胜过一个复杂但却下载速度极为缓慢的网站。也许你是一个在业务上办事干净利索的人，但是如果在你公司网页上下载任何东西都那么缓慢的话，那么你的这点优点恐怕消费者永远也感受不到了。

●网站的设计要有利于网友采取实际的网上操作行

动，比如说注册自己的信息，与服务中心之间互动，或是为他们在家里进行网上订购提供方便。

底线：很多公司都愿意投入大笔的资金在建设精美的网站页面上，但是如果网民登陆这家网站的速度过慢，网站本身无法满足客户对某种特定产品的偏好及需求，或是无法对客户在网上的其他行为做出及时的回馈，那么建设网站就不是在拉生意，而是在丢生意。网站是宣传你和你所在公司的一个非常好的载体，我们应该好好利用和保护那些珍贵的网上资源。

每当我的一位朋友谈起人类是如何在主观上激励自己战胜困难时，总会说起这样一句话："人人有本难念的经。"这句话确实有它的道理。我们不知道自己的顾客那本难念的经到底是什么，也不清楚他身处在什么样的环境下，或曾经做出过什么样的牺牲。但是他们把自己的钱委托给了我们打理，对于客户们而言，也许一台崭新的电脑或是轿车就是自己的梦想，就是自己攒钱想要购买的奢侈品。买房，就是每一对新婚夫妻都不得不花钱购置的东西；海边旅游，就是一位老年人最后的假期凤愿。当我们真正开始尊重起客户对你的这份信任的时候，最自然的内心反应就是对自己说：我要对得起这份信任。然而，一个良好、正面的公司形象可以有助于你对客户展现自己的这份心情，也有助于你最终圆满地完成客户的嘱托，真正从行动上对客户予以报答和感谢。在帮助别人圆梦的过程当中，我们自己也将会是从中受益的胜利者。

第六章　组织形象的力量

## NO.7
### 第七章

# 情景中的非言语智慧

LOUDER

THAN

WORDS

首先，我想为大家讲这样一个故事：四位律师和两位法律助理身着海军蓝色的西服，拿着大大的笔记本，站在一家船舶公司的接待台前。这些律师可都是身价不菲，他们的薪酬是以工作的小时数为单位进行计算的。当时正赶上我去船舶公司帮一位律师朋友的忙，所以也恰好在场。这位律师朋友是一起诉讼中原告的辩护律师，原告因被这家船舶公司生产的卡车撞倒而造成身体残疾。这几位律师作为被告的辩护律师来到我朋友的办公室内，二话没说便送上了一笔钱财，甚至企图贿赂不成便施以威胁。

我的朋友问我对这件事情有什么看法，我的回答是："那几位律师到这里来的真正目的是要威胁你的当事人，我们必须马上采取行动。虽然他们从来没有承认过自己是拉帮结伙地在欺负人，但是我们绝不能陷入他们的陷阱。"

于是，我们马上从小的员工办公室搬到了主会议室，紧急召开了一次重要会议。律师朋友、原告和我，我们3个人坐在一个舒适的、大概能容下6人的会议室里开始商讨。几分钟之后，朋友又邀请了其他一组律师团队加入。一踏进这个会议室的大门，他们便感受到了紧凑和温暖的讨论气氛，沉默一下子就被打破了。经过我们大家的讨论，最终达成一致：只留下两位律师和一位助理，其他的人员全部离开。

至于我们后来商讨的辩护策略，如下：让一位律师假装被告方的辩护律师，坐在原告旁边；另一把椅子给了助理，而我的朋友则一直站着，直到会议结束。这样做的目的是想让本案的辩护律师，也就是我的朋友，在这间小小的会议室里尽情展现自己的主导性和威严感，进而让他在真正的庭审中能够表现得更加自信。无论对方的辩护团队想采取什么样的威胁策略，我们都会抵抗到底。

这件案子一直持续了好几个月，对方的辩护团队再也没使出什么花招。实际上，在整个庭审期间，对方的四位辩护律师由始至终只出现过一位，我想他们恐怕是吸取教训了。最终，由于被告一方在辩护中的疏忽和拖延，我们为当事人赢得了他所需要的赔偿金。原告的伤残是永久性的，他再也不能行走了，并将永远生活在痛苦之中。所以我想，对方有责任照顾他和他全家人后半生的生活。案情其实早已经清清楚楚，对方所有的擦边球政策、故意拖延政策、企图恐吓原告的政策，最终都没有起到任何作用和效果，反而适得其反。虽然我朋友的律师事务所规模并不大，但是他绝对不允许自己的当事人被别人恐吓，这一点令我深感敬佩。可是话说回来，当初被告一方第一次布下龙门阵时，如果我们没有及时出手防范的话，那么原告当事人的处境恐怕就会非常被动了。被害人本身就是案件中的弱势一方，若再无人保护和帮助，面对强大的敌手，他们往往会受到更大的伤害。像这样的实战经验是你在法律或是商战课堂上永远学不到的，但是在实际的案件较量中，它们却是相当重要的。

FBI 教你破解身体语言
LOUDER THAN WORDS

白金
升级版

上一章中我们已经强调过，要想做好生意，先要懂得怎么把客户或是谈判对手弄得舒舒服服，这似乎和我在上文中讲的和"对手"在"互攻"中你争我夺恰恰相反。我之所以这样做是有原因的：第一，一个非言语智慧的高手也有可能引发其他人的抵触心理；第二，我们要学会在处理事务时做到收放自如，当别人企图威胁、恐吓你或者针对某个人做某事时，要懂得如何以适当的力道予以还击；第三，当事情已经堆积如山，需要你同时处理的时候，要学会利用非言语智慧为自己在不同的情境下赢得优势；第四，非言语智慧的力量从你和别人打招呼的那一刻就已经生效了——甚至可能更早。

## 情景一：问候和介绍

见面问候的重要性是我们不能低估的，因为那是两个陌生人之间第一次较为紧密地相互接触和认识。双方都会调动自己的一切感官去认识和了解对方：看、听、说、闻及触摸。触摸通常是通过相互间的握手达到的。虽然见面的时间并不一定很长，但是就是在这短短的一段时间里，大家却会利用我们前文曾讲到过的"闪电评估法"，形成对对方最重要的"第一印象"。你今后能不能在对方心目中留下值得信任的良好的形象与第一印象的好坏有着直接的关联，所以这绝对不是一件小事。

### 接近男士和女士的不同方式

一位男士在向自己的同性走近时，路线要成一定的角度，不要径直奔对方而去。如果你认为自己办不到的话，就在每次和他人见面时，有意识地往旁边成角度地迈上几小步，这样做对于营造彼此之间相互尊重的谈话氛围非常有帮助。即使是与你已经认识了的朋友会面也可以按同样的方法去做，慢慢你就会发现这一小小的举动会给你们双方都带来舒适友好的谈话气氛。

反过来，如果女士之间也以成角度的方式向彼此走近，效果就不那么好了。女士偏爱走直线，走到离对方的身体有一段合适的距离时停下来即可。如果对方在和你的交往中感觉气氛很舒适放松的话，她就自然会运用一些非言语的方式表达出自己的感受了。女士对于自己的空间被他人侵犯这一点尤其敏感，她们不喜欢对方很快就对自己表示出过分的友好。所以说，还是耐心地等待女士发出信号之后，双方再以一种更舒适的角度站位吧。

如果你想加入他人之间的谈话，一定要选择好加入的时机。当谈话双方正好面对面，而且脚尖指向对方的时候，最好先不要加入进去，因为那证明当时他们谈得很投机，不想被打扰。看见你的到来，按理说，双方都应该马上转过身来，脸面朝着你，与你打声招呼（这是社交礼节），但是如果你敏

FBI 教你破解身体语言
LOUDER THAN WORDS
升级版 白金

锐地察觉到其中有一个人的身子虽然转过来了，但是脚却没有跟着转过来的话，那就证明他不再想继续刚才的聊天了。

### 第一次接触

握手，正如我们前面提过的那样，是双方第一次会面时非常重要的一环。因为握手就意味着彼此双方允许对方进入"自己的"空间，并允许对方接触自己。接触在人类的相互交往中是非常重要的，里面蕴藏着太多的社会和文化因素，以至于我们很难准确地说明什么时间去与对方握手最合适，或者如何握手最合适。在世界上的很多地方人与人之间根本不握手，他们可能会相互亲吻、拥抱、贴鼻子、触摸胸部或以其他形式的动作表示相互问候。但是无论如何，握手还是最普遍的一种人与人之间的问候方式。

在纽约，握手的方式是非常直接的：两个手掌有力而又自然地握在一起，时间大约持续几秒，然后各自轻轻地将自己的手放开。握手时，腹部前倾，眼睛要直视对方，并露出真诚的笑容；在美国的犹他州，人们握手时一般会非常用力，并且持续的时间也会长一些；在洛杉矶，人们的握手形式则很简洁；而在中西部地区，人们往往在见面时不去握手而是以挥手的形式代替；在哥伦比亚、罗马尼亚、俄罗斯、法国、阿根廷等国家，握手只是男士之间的事情，女性如果愿意的话，会允许你在她的脸颊上轻吻一下，这一习惯不论是在这些国家的社会还是商业文化中都是可以被接受的。正如你看到的那样，背景、文化和社会习惯严重影响着人与人之间会面和触碰的舒适感。

我们都曾有过类似这样的经历——和某人有过一次握手的经历之后，便对他留下了不好的印象。为什么呢？可能是由于对方握手的力度过大或者过小、摇晃得太激烈、把自己的手放在对方手的上面并用力扭动从而体会自己高高在上的感觉、将自己的食指插入你的腕部等。生活中还有一种握手方式是政治家所特有的，他们在握手时会把对方的手全部包住，借以表达高度的热情和亲切感。这样的握手方式也许在外交场合是适宜的，但是在日常生活中却不太恰当。如果你曾经读过《政治家的握手》这本书，就会对这一点更有体悟。日常生活中的朋友或是伙伴没有人会喜欢那样的握手方式，所以永远不要那么做。即使你想表示对某人的喜爱，也不要效仿政治家之间的这种握手方式。你可以通过用另一只手触摸对方的手臂和肘部来表达自己的这一感情。

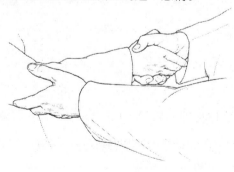

在知道了什么样的握手方式不正确之后，我们怎样才能保证今后自己的握手方式是正确的呢？首先，这要取决于你的身份和所处的环境。与他人的相互问候中，最重要的一点是你要注意模仿对方的行为。先体会一下对方在和你握手的时候使用多大的力度，然后用同等的力度去和他握手，不多也不少。一次好的握手能给双方都留下美好的感觉。但是即使对方的握手让你感觉不那么舒服，也要保证不在脸上露出痛苦的表情（很多人会下意识地做这样的动作，所以一定要注意这一点）。不管怎样，必须记住，握手绝不是越用力越好，并不是所有的文化习俗中都特别强调力度在握手中的重要性。

## ≡≡≡ 身体接触中的黄金定律 ≡≡≡

我之所以如此强调人与人之间发生的第一次身体触碰的重要性，是因为我知道这对于今后双方之间建立良好而和谐的关系是非常重要的。科学研究表明，身体的接触会刺激人体内部释放荷尔蒙，而荷尔蒙这一大脑内重要的化学物质对于人与人之间和谐关系的建立是非常关键的，它会让我们在与他人的交往中更加圆滑柔润。身体接触越多证明彼此间越信任对方，同时也越有利于和谐、亲密关系的建立。餐厅中的女服务生尤其懂得这条黄金定律，当她们在服务中通过这种方式赢得了用餐者的喜爱和信任时，得到的小费也就会越多。日常生活中，当你一边拉着某人的手臂一边为其指示方位或引导他坐在指定的位置上时，也能起到同样的效果。说了这么多，有一点我必须提醒，有些人并不喜欢别人和自己有任何身体上的触碰，他们对这些很敏感。但是对于大多数人来讲，有适当的身体触碰在交往中还是一件好事情。

## 私人空间

谈完握手之后，我们来谈谈人对于私人空间的需求。每个人都有对于自我私人空间的要求——这既是一个社会现象也是一个文化现象。一个人从小的生长环境往往决定了他对私人空间要求的大小。如果你来自地中海国家或是南非，那么你会非常喜欢别人站得离自己很近；但是如果你来自北美，那可能会需要别人站得至少离你一臂的距离，才会感到舒服。著名的人类学家爱德华·霍恩曾经就这一问题写过一本书，并用"proxemics"这个词来描述那种每个人都需要的、难以名状却又需要被定义的"私人空间"的大小或范围。

霍恩发现，我们每一个人都有一种空间偏好。比如在一家拥挤的电梯中，即使旁边有人站得离你只有一寸的距离，你也不会介意。但是若是你在 ATM 机旁取钱时也有人站得离你如此之近的话，那恐怕是你绝对不能接受的。这种空间侵犯的行为，即使是无意为之，也会马上导致我们的大脑边缘系统做出消极的反应，进而引起警觉或是紧张感——而紧张会进一步打乱我们注意力的集中。

所以说，如果我们在与他人的第一次会面中就搞清楚对方到底对个人空间的需求有多大，那就不至于导致上文所述例子中的那种尴尬局面了。如何做到这一点呢？教你一个方法：在和对方握手之后，你可以主动往后退一小步，然后观察对方的行为：他是会随之主动向前迈一步？站在原地不动？向后退一步？还是会轻轻转动身体？从对方不同的反应中，我们可以判定他对空间的要求到底是什么样的，因为对方的举动完全是对你之前行为的一种反应。如果谈话双方彼此非常喜欢对方的话，那么他们之间的距离就会随着谈话的进行越拉越近。

尊重每个人对于私人空间的需求在日常交往中是非常重要的。面对不同人不尽相同的需求，我们不必想得太多。有的人在与别人说话的时候就是不喜欢靠得太近，而对于有的人而言，离得太远反而会使他觉得两人之间过于生分。不同文化对于人与人之间站的距离大小的接受程度是不同的。所以，在你接触一个不了解的人之前，不妨先了解一下他的文化背景。在地中海、拉美和阿拉伯国家，人和人之间站的距离很近，然而在其他国家，人们则不喜欢靠得太近。所以说，最聪明的办法其实还是多观察对方的举动以及当地人民的言谈举止，然后再决定自己的行事方式。

　　身份和地位也直接影响着一个人对私人空间的需求大小。众所周知，身份地位越高的人越不喜欢被人过于靠近，他们总希望尽量与他人保持一定的距离。把后背对着你或是把手背后等是常见的与他人保持距离时做出的动作（这些动作就是在表明：别碰我或是别靠近我），只不过有的时候那些身居高位的人连做这些动作的时候都会非常谨小慎微。有些有身份的人在跟别人握手时，往往是一只手用来握手，另一只则插在口袋里，大拇指露在口袋外面。这个动作背后的含义是："我们之间不是平等的，我凌驾于你之上。"这样的动作我们经常能在大学教授、律师和医生身上见到。即使这样，我也要告诉你，别往心里去，你只要注意到这一点并且在心里知道对方这个动作背后的含义就可以了（当然，对方也可能并没什么特别的意思）。

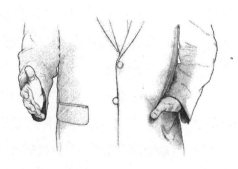

## 〰️ 情景二：会面 〰️

　　教授非言语行为课程时，我经常会跟自己的学生说，世界上有两种形式的会面：一种是白宫式的会面，一种是戴维营式的会面。白宫是总统办公的地方，谈起这个地方我们联想到的词汇应该是协议、权力、特权和理解。而戴维营是总统休息的场所，谈起这个地方我们联想到的是隐私、亲密和休息。但是不可否认的是，世界上有很多重大的政治决策、政策突破和外交斡旋都是在戴维营达成的。为什么呢？那是因为当人身处在轻松惬意，不那么紧绷但又相对正式的场合时会显得更加和蔼可亲。环境可以直接影响一个人的情绪，这一点毋庸置疑。

　　类似戴维营中的那种轻松、私人又美丽的环境会使人减少偏激的情绪，反而多一份礼让与谦虚。它可以帮助提高沟通双方的谈话质量，让彼此都放下紧张的脚步，以不紧不慢的速度，以抱着解决问题的心态来好好进行商谈。在那样的交谈氛围下，大家不会对座次的安排太过苛求，宾客可以相互挨着坐或是之间成一定的角度坐，而不是非要你对着我，我对着你（这种方法是最不利于双方达成共识的）。之所以这样安排谈话者之间的座位，是因为它可以使彼此间更加容易看到对方的行为举止，同时也尽量减少存在于彼此之间的障碍物（如桌子、电脑等）。在戴维营，与会成员之间可以三五成群地一起散步（因为行动间的一致性和镜像模仿是有利于彼此之间更为坦诚地交换意见的），参与娱乐活动，如骑自行车，尤其是可以共进餐宴。还有哪里比这样的地方更能促进会谈代表之间达成协议与共识的呢？

从白宫和戴维营的这两个案例中，我们应该想想有哪些经验可以借鉴到公司的日常运营或是业务洽谈中。当然，这首先应该取决于你的洽谈目的到底是什么。如果你想要放松，那就让自己彻底远离公务、电话、电子邮件、紧急事务、死板环境的禁锢和压力。但是有的时候，只有严肃紧张的气氛才能督促我们迅速召开会议或是迅速做出某项决定。所以，正如科学家的研究曾经告诉我们的那样，环境是会直接影响人的生产力、情绪甚至是创造力的。

人们总是爱对各种名目的会议怨声载道，但其实只要会议组织得得当合理，完全可以办得又高效又愉快。我在 FBI 工作时，有时几个月都见不到自己的队友，所以哪怕有一点点短暂相聚的机会，我们都会快乐地在一起聊聊工作，聊聊生活。孤立和独立并不相同，美国人的一大特点就是行事独立、主动。但是孤立、孤僻，可就不是一种健康的个性了，如果任其发展下去，甚至可能发展成为一种病态。有很多现在在家办公的老朋友经常跟我倾诉自己是多么怀念那些跟同事们在一起的日子，只要偶尔有一次与老同事相聚的机会，他们就会开心得不得了。所以说，为了和同处于一个团队中的同事更好地合作，一定要随时保证小组成员之间信息交流的通畅，同时还要真真正正地把自己当做是和大家站在一条战线上的好战友。

以下几条建议是专门针对如何利用恰当的非言语行为与他人完成一次成功的会面而提出的：

### 设定好目标　调整好情绪

人与人之间相互见面的目的到底是什么？这个问题也许我们常想，但是不常说更不常真正认真地为之计划。计划，首先应该从计划一次会面的最终目的出发。如果一次会面是以最终达成某种协议为目的的，那么就不宜把会谈地点安排在一个能够容纳十几个人的会议室里。一个更小、更紧凑的空间或许更能够激发双方讨论的激情。正如每个公司都会对自己的大客户格外重视一样，最重要的与会嘉宾的利益和方便是你应该考虑的首要因素。与自己的方便比起来，客户的需要永远应该被摆放在第一位。

除此之外，选择恰当的会面时间也是一个很关键的问题。对于你合适的时间，对于一个刚刚经过长途飞行或是路程的人来说可能就不合适。所以，为了避免出现这样的尴尬，在确定会面的时间之前，不妨先打个电话询问一下对方的时间表。为了一场会谈最终能够成功举行，我们确实有很多的工作要做。但是请千万记住一点，无论做什么，你的目的都是使场面更加开放、有效，从而最终达到双方都满意的结果。

除此之外还要提醒大家的是，身份、空间和资历历来就是人们看重并尊重的社会规范，对这几样东西我们必须予以足够的重视。生意场上有时为了招揽和留住大客户，我们经常会给这些人以所谓"特别优惠的待遇"，但是这么做真的有必要吗？给尊贵的客户一些优惠的条件或是更为优越的服务当然是可以理解的，但是千万不要"过犹不及"。其实，只要做到给这些客户预留出特定的停车位，开会时给 VIP 做好名牌，提前在会场外迎接贵宾的到来，提前为贵宾交好停车费，为他们预留出专门的 VIP 房间供他们进行上网和打私人电话等活动，准备可口的饮料，即使没有饮料，也至少要保证他们的手边永远要有甘甜的矿泉水就可以了。打个电话提前了解客户的需求和爱好并不会耗费很多时间，只要你真正能注意这些细节，你会发现自己能从中得到很多意想不到的好处。细节虽然琐碎，但能起到的作用却往往是巨大的。你所做的任何事情目的只有一个：创造一个使别人愿意与你相处的环境与氛围。

### 环境的重要性

正如我前面所讲的，环境对于一次会面的最终效果有着非常重大而且直接的影响力。所以会面的地点务必要干净、有序，保证所需的设备、材料和工具齐全。通过观察你选择

223

的会面场所，客户就足以看出你是否负责可信。我认识一位经理朋友，无论什么时候，只要客户要进会议室开会，他一定会先提前花费半个小时的时间检查屋里的椅子是不是都推回至原位了、桌子上是不是干净整洁、上次会议留下的杂物是不是已经完全被清理干净了等。

当然，开会的地点不一定永远只能在会议室里。咖啡厅、室外咖啡屋，甚至是漫步在小院子里也同样能开出非常高效的会议来，因为在那种非正式的气氛下，几个人之间肩并着肩齐步走的过程能够对沟通起到鼓励作用。说来说去还是前面讲的那句话，到底在哪里会面，以什么形式会面，这一切都要取决于这个会议最终的目的是什么。从最低的要求上来讲，一场会议至少要在一个安静、不受打扰的地点举行。任何对会议进程能够起到促进作用的元素都是积极而有裨益的。

记住，人生来就有关注"运动"的天性，所以千万不要打断别人的谈话：无论别人是在打电话、查收电子邮件，还是仅仅从身边经过，都不要轻易地去打扰或者打断别人。有些人总是爱把自己的黑莓手机放在桌子上，却没有意识到按键时手机发出的光亮也会对别人形成一种打扰。在2009年2月4日美国总统奥巴马面对国会发表演说时，台下竟有议员边听边使用手机和个人数字助理。这样的举动不仅仅会影响周围的人，而且是非常粗鲁无礼的。

同时还要注意的一样东西是办公室里的窗户。有一次我恰好经过一间位于地下一层的办公室，办公室里的桌子放在了透明玻璃的旁边，路人很轻易地就可以从外面看到办公室内办公的情景。这无疑会对室内工作人员的工作形成一种莫大的干扰。

有很多现代的开放型办公室都愿意把会议室安排在办公活动最密集的中心地带。尽管这个想法很新奇，但是从非言语学科的角度上看，这样的设计并不合理。因为办公室外的人来人往会严重分散办公室内工作人员的精力，同时这种开放式的设计也不利于保护室内工作人员的隐私，使很多员工都不得不避免在办公室内对一些重大和敏感问题发表意见。

## 〰〰 麻烦测试 〰〰

在筹划一次成功而顺利的会面时，只要你能够把对方的方便与舒适放在首要的位置考虑，那么一切就会显得简单很多。

我曾经多次被某大学邀请给学生们做讲座。但是每次去做讲座，总是麻烦一通。首先，大学的周边很难找到地方停车，所以作为邀请嘉宾的我总是要自己掏腰包到可以停车的地方把车停好后再走到大学里做讲座。拿着各种演讲前准备的材料（讲课提纲、笔记和电脑设备），再加上那一段长长的路，做这一次讲座对我来说真称得上是个不小的负担了。还记得最后一次去做讲座的时候恰巧赶上了下大雨，我手里拿着一大堆的材料，在雨中走了近半里路。走到大学的时候，全身都湿透了。那一刻我心里暗暗想：我再也不干这份苦差事了，实在是太麻烦了。

同样是做讲座，我在 Fidelity Investments 大学受到的待遇则完全不同。每次去那里讲课，总是会有专门的人员在门口迎接、帮你拿行李、问你需要喝点什么东西。学校会专门为你准备一个小型的办公室，你可以在里面打电话、用电脑。每次要离开的时候，我的心里都会想：这样的地方，我还愿意再来。以上这些看似无微不至的关怀，其实并不是什么过分的要求，只要活动的举办者能够真真正正地拿出一个小时的时间，好好接待一下来访的讲课嘉宾就完全可以做到。但是这短短的一个小时，在我心里留下的印象却是永远难以忘怀的。

每个商务人士在人际交往中都喜欢问相同的问题："今天我见的这个人还会愿意跟我在这个地点再次见面吗？"如果对方连找到你公司的大楼、在周围找个停车场、过保安的安全检查、找卫生间、找地方复印都有困难的话，那么我敢保证，这个人绝不会愿意和你见第二面了。

### 启用你的非言语雷达

和陌生人见面的时候不能一切事情都听天由命，想着见机再行事，而应该永远保证自己的雷达处于开启的状态。未雨绸缪可以使你显得自信满满。从踏入屋门的那一刻起，就要尽量放松，敏锐地关注对方脸部或是身体其他部位所表现出的任何一丝不自然或者不舒服的迹象，它往往能告诉你这个人准确的内心活动。

非言语行为体现在生活中往往是极其微小的、不易被察觉的，但越是这样越要注意观察那些所谓的"微动作"。比如说，我经常能观察到一个人在读合同或是其他材料时会有轻轻放下眼睑的动作，这其实是一种内心紧张的表现，表明阅读者可能正读到了某些难以处理或是琢磨不透的文字细节。

一次会面越是重要，越需要你做事时能够回归到最为基本的非言语行为准则上去。放松眼睛，放松精神，注意寻找对方身体所做出的表示舒适或不舒适的典型动作，如身体前倾还是后倾，腹部向前还是向后，眼部和腿部的动作，对个人空间需求的大小，是否自信等。总之，你必须要关注他方方面面的一切表现。

以下我们为大家列出的是在人际交往中，人们常爱做出的典型非言语动作。

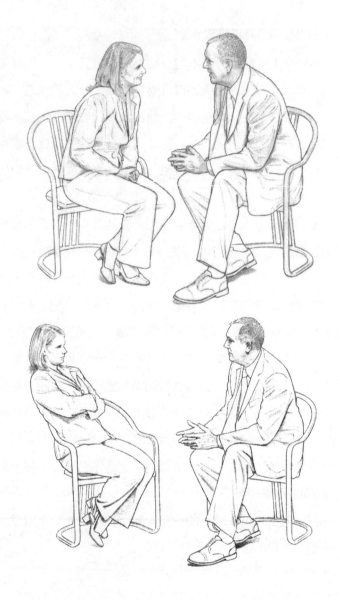

FBI 教你破解身体语言

LOUDER THAN WORDS

白金
升级版

记住：非言语信息是处在不断变化和流动中的。任何一个客户都有可能成为你未来成功的关键。然而，只有你真正具备了非凡的非言语智慧，读懂他们的内心世界，才能使自己立于不败之地。

## 〰️〰️ 一个小手势挽救了巨大的利润损失 〰️〰️

我曾经参与过两家海外船舶公司之间的谈判。谈判开始前，我与英方团队进行了接触，英国代表说："进入谈判室后，我们会先听对方的陈述，然后我们再进行陈述，你可以在旁边看着……"

"不，"我说，"你又不是雇我来在一旁听你们说话的。我要和你们一起商讨合同的细节，咱们一段一段地看。""那耗费的时间太长了。"英方代表马上反对道。"如果你们的目标是最终让双方达成这项协议的话，那么我提的反对建议就必须被采纳。我会注意观察，看哪些条款是对方愿意接受的，哪些条款是对方不愿接受的，总之，我会尽量解决一切可能出现的问题。"

于是，会谈按我们之前商量的方式开始了。双方在一起针对合同内容展开研读，我不断悄悄地为坐在我身边的英方首席谈判代表递小纸条，上面写着：……有问题……也有问题。我猜想，坐在对面的法国代表肯定感到非常奇怪，奇怪为什么我方总能紧紧抓住每一个他们关切的利益点不放。其实很简单，我是从法方代表的动作中判断出来的。每当他们遇到特别在乎的条款时，嘴都会不由自主地撇起来，这个小动作可能连他们自己都没有意识到。最终，在我的帮助下，英方拒绝了很多法国提出的价格不菲的"修订建议"，而这些建议是英国的谈判代表们先前为了要尽快达成协议，几乎已经决定要签署了的。就是这样几个小小的纸条，我帮助我的客户节省了几百万美金。

那天我真是干得漂亮极了。

## 安排座位的学问

如果你认为座位安排不重要的话，我建议你去问问白宫负责各种协议签订的官员。他们是负责反复检查每一项国家协议文书细节的专门人才。正如教师们一贯很清楚坐在教室不同位置的学生，会在课堂参与和讨论中有不同表现一样，就连黑帮成员都知道，除了接头的地点很重要外，接头的方式和位置也很关键。

归根结底，座位的安排到底应该遵循什么规律，是取决于你要达到什么样的目的。从某种角度上讲，座位安排这门学问说难也不难：当两个人的座位之间成直角时，是最能激发彼此工作动力的。这项发现背后的具体原因目前尚不清楚，但是研究"座位学"的专家表示，面对面坐着时，双方的工作效率都是最低的。如果几个人能够并排坐在沙发上、并排坐在椅子上，或是座位之间成一定的角度，办事效率就会相应提高。

我常问自己一个问题，远道而来的拜访者是否应该被安排坐在矩形会议桌的最前面。这个问题当然没有固定的答案。但是实际上，他们更希望"我"坐在那个位置上，因为毕竟会议是在你的地盘上召开的嘛。如果主办方对每位嘉宾的座位安排有特殊要求的话，可以事先给每一名与会者准备好一份会议日程，提前告诉他们就座的位置以及这样安排的原因。如果要表示对某位嘉宾特别的重视和尊重的话，那么请安排他坐在紧挨着你右手边的位置。

如果会面被安排在一间办公室里的话，那么我会希望坐在一个不面对桌子的位置上，最好能坐在沙发上，因为那会让我感到非常放松，气氛也不至于显得那么正式。反之，如果你安排对方坐在书桌的旁边，那么十有八九这场谈话的质量不会太高。因为这样一来不仅会使双方之间产生一个障碍物体——桌子，还会让彼此显得疏远了很多，温暖和亲近感一下子消失不见。所以说，这样的座位安排是非常欠妥的，只会让你和客户之间显得异常生分和疏离。当然，如果你想向对方表达的恰恰就是这种感觉的话，另当别论。

## 高效地利用时间，同时也激励他人这样做

我曾经见识过这样一位非常优秀的领导，这个人最大的特点就是痛恨浪费时间。每一次他走进办公室的第一个动作都是把手表往桌子上一放，直接告诉每一个人现在我们到底还剩多少时间来完成某项工作（通常不会多于 30 分钟）。于是乎，每位同事的眼睛都开始盯着桌子上的手表，本来要开的漫长会议在这样严格的时间限制下，立马就被缩短了。

这样的情况在日常生活中也时有发生。总的说来，我们必须要懂得尊重客户和客人的时间。比如说，在召开一个会议之前先弄清楚会议的时长（以免误了赶火车、赶飞机或是其他会议），会议期间不要忘了控制时间，请一位专门的计时人员提醒每个人发言的时间，时间到了立即停止。

请注意，在有些文化中，时间是一个相当灵活的概念。有些会议的主持者会刻意延长会议的时间，目的是尽可能地让每一位听众都能了解会议的全部内容，同时也让每一个人都能参与其中，或者他是为了让大家能够得到充分的休息从而在会议中安排了大大小小很多茶歇。无论是上述中的哪一种情况，作为会议的组织者，必须要清楚自己延长会议的实质目的和原因到底是什么，进而做好相应的准备。

### 与会者也要扮演应有的角色

即使在某一场会议中没有发言或组织领导的工作，你也

有一个非常重要的角色，那就是做一位聪明而又积极的下属。参加会议时一定要注意力集中，用自己的行为动作来表现对会议的兴趣，比如身体和腹部向老板或是发言人方向前倾，把手安稳地放在别人可以看见的位置上。不要做出乱写乱画、咬铅笔，或是其他让人觉得你很无聊或是焦虑的举动。同时还要注意的是不能被手中的笔记本电脑或是手机分了心（在进入会议室之前就应该把这些东西关掉）；眼神集中，不要东张西望，更不要与周边的同事小范围窃窃私语。总之一句话，任何的小动作都会分散你自己和他人的注意力，所以尽量避免它们，尤其是当其他同事在发言的时候。

曾经有企业的老总告诉过我，开会的时候他们最反感的莫过于在自己与员工们分享宝贵的工作经验的关键时刻，看到有些不守会议纪律的人在私下里窃窃私语，或是用笔记本电脑偷发电子邮件。这些人以为自己的行为不会被注意到，但其实从讲话的领导到其他同事，没有一个没把他们的行为看在眼里。

另外值得一提的是，作为倾听者，我们可以在适当的时候运用很多肢体动作来与台上的讲话者进行呼应。方法很简单，只要模仿说话者的动作即可，因为这样一来你们两者之间的动作就会具有一致性和协调性，这是一种表示你对说话人观点赞同的最有效手法。

### 当气氛紧张的时候

紧张而火药味十足的气氛对于与会成员之间达成共识是没有帮助的。所以如果你已经感觉到会议或者谈话的气氛有些紧张了的话，那么不妨抽出一点时间先专心把这个问题解决掉之后再向下进行，因为很多时候人一旦失去了理智，思考就不会再那么有逻辑。以下是一些用非言语智慧的方式处理"紧张气氛"的方法：

## 十种消除自我和他人紧张的方法

任何的商务交往中都难以避免"紧张"状况的发生，谈判中更是如此。以下是几种可以帮助缓解紧张气氛的方法，供你参考：

1. 身体后仰，退让出一定的空间。

2. 不要双眼直盯着对方，可以将目光转移至对方身体的其他部位。

3. 站立时不要将双手交叉着放在胸前或是双手叉腰。

4. 双方的站位和坐位之间最好呈一定的角度。通过不断变换角度可以达到降低紧张气氛的目的。

5. 深吸一口气然后再慢慢呼出。只要你这样做，不必再用嘴去说"大家冷静一点"，周围的人自然就会跟着你一同做了。

6. 若是商讨的气氛一度非常紧张的话，不如双方都先暂时停下手边的工作："我需要一点时间想一想""咱们先短暂休息一会儿"或是"再给我一天的时间好好考虑一下"。

7. 站立时可以将双腿交叉，头部稍稍倾斜，这样的动作有助于缓解身边同事心中的紧张感。

8. 站起身，轻轻挪动几步。"距离"这个东西往往具有双重作用：一方面它可以降低紧张感，另一方面它可以增加一个人在站立时的权威感。

9. 双方一起散散步。当两个在谈判桌上剑拔弩张的对手一起肩并肩散步的时候，很难再在两者间发生什么激烈的冲突了。共享美食也是增进信任与了解，促进合作与共赢的好方法。

10. 共进餐宴或是一起喝杯咖啡。

## 〰〰 情景三：打电话 〰〰

很多人认为非言语智慧在打电话中是体现不出来的，这是一种错误的观念。别以为在电话里由于双方之间互不见面，对方就猜不透你的心思。实际上电话中的非言语智慧也是非常重要的。

如果你对一个人在电话中的表现是否能被当做是他真实

心理与情感状况的判断依据还存有疑惑的话，不妨想一想在电视上经常反复播放的人们拨打"911"报警电话的节目。当一个人拨打"911"电话报警时，他的声调、语气、语速和音量和以往相比都会发生巨大的变化。声调、语气、语速和音量是在你所打的每一通电话里都必须要特别关注的东西。除此以外，还需要特别留心的是对方说话中出现的一些口误，比如表示犹豫的词（哦、啊、噢）和发出的"杂音"（如清嗓子、"嗯"、呼气、吹口哨，或其他用舌头和嘴唇发出的杂音）。所有这些举动其实都是动作发出者一种自我抚慰的心理表现：要知道，用舌头和嘴发出的种种杂音只不过是人在婴儿时期用吮吸来寻求安慰到了成人之后的一种变相体现。

一旦听到对方在回应你的话时出现了以上谈到的种种现象中的任何一种，对你来说聪明的做法都应该是马上顺着对方的话茬接下去。举个例子：

客户：哦，啊……好吧，下周接货没问题。

你：这个时间有什么困难吗？

客户：嗯，事实上，对，确实有点困难。如果下周接货的话对我们来说有些晚了，顾客有可能会不满。

你：如果我们催一催的话可以提前三天发货。这样办您看如何？

客户：那真是太好了。谢谢。

# ～～～ 电话中的非言语智慧 ～～～

● 电话铃响 1~2 声之后把电话拿起（这说明你的工作很有效率，客户的需求被放在了首要的位置）。

● 通话中要避免出现太多表示犹豫的词语（"嗯""比如""你知道"），或是制造其他杂音（弹舌头、吹口哨）。没有这些小毛病的电话，通话质量会明显提高，同时也可以让对方感觉出你是一个说话经过深思熟虑且表达干脆利落的人。

● 言语镜像法：如果客户说了一句"我很生气"，那么你不应该说"我很理解您生气的原因和心情"，而是应该找出一些合适的形容词来形容他的处境。

● 通话中不要出现与交谈内容无关的背景声。

● 说话的音量要适中。如果打电话的人将自己的声音提高了，那么接电话的人就更要把声音降低。

● 注意听对方是否会在电话中发出长而深的呼气声。当人发出这种声音时，说明他的手头可能正在处理着某些棘手的事务。

● 低沉的说话声音可以帮助展现说话人自信的一面。

● 沉默是金。如果某人针对你的话提出了反对的意见，你可以选择先以一段时间的沉默作为回应。这个动作会帮助你将大家的注意力集中在自己的身上，跟在开会的时候站起来讲话有一样的效果。

● 双方在电话交谈中说话的机会应该是均等的。不要因为怕冷场而故意没话找话，这样反而有可能把不该说的话也说了。

## 情景四：个人陈述

所谓个人陈述就是要用某种引人入胜的方式将一个人的想法和观点有效地传达给其他人的过程。一场成功的会议就是由大大小小很多个成功的个人陈述组成的，每个人都可以在会议上各抒己见，表达观点。当然，除了每位与会者的陈述之外，会议的成功召开还与听众的规模与聚集程度有很大的关系。以下几条建议可以告诉你如何运用非言语智慧做出一场难忘、精彩的陈述报告。

对于有些人来说，每做一次陈述展示都恨不得像蜕了一层皮一样费劲，但是对于有些人来说这根本算不上什么难事。尽管我已经做过成百上千次的报告了，但是每一次也都还是要费一番工夫。这没有什么不好，正因如此，我才会让自己更加精心地准备。要知道，每一次的报告展示都是一个展现自我风采、和他人分享经验、交流想法的好机会。每个人都期望着你能有好的表现，更没有人愿意失败。观众是宽容的，有的时候他们可以理解发生在演讲中的难以预料的突发状况。但是总的说来观众一定还是希望演讲者可以呈现出一场精彩十足的演讲，正因如此，以下我们为读者提出了几条"锦囊妙计"：

1. 做足准备，提前排演。每次做陈述展示之前我都会至少提前预演 10~15 遍，以保证每个细节都能呈现得自然、优雅，让人感觉舒服。同时你还可以借用这个过程进一步推敲有什么更合适的方法去表现你所要传达的东西。

2. 挑选一位自己喜欢的演讲者模仿他在演讲中的动作和表情等。已经成功的范例自有它成功的原因，既然你还没有成功，那他们就永远具有模仿的价值。

3. 在演讲开始之前提前到达会场，以便能够和与会者先一步熟识起来。另外，你可以记住这些人在听众席落座的位置，演讲时用眼睛看着他们可以帮助你缓解紧张感。

4. 提前调试好发言中要用到的各种设备。在过去的六年当中我曾遇到过两次突发状况，一是投影灯不亮了，一是电脑系统崩溃了。所以提醒大家这一点要特别留意。

5. 如果你在演讲的过程中确实很紧张，不妨大大方方地告诉观众，尤其当台下坐的是你的同事的时候。说完之后就请彻底把紧张这件事抛在脑后，因为即使是身经百战的演讲家，面对广大观众，也有紧张的时候。

6. 充分利用舞台，不断变换自己在舞台上的站位。不能永远躲在讲台的后面，观众不喜欢这样古板的站位方式。

7. 注意使用手部动作。发言中若有需要特别强调的地方，可以用反重力手势，或用压低音量的方式予以配合。这两种方式都能有效地帮助吸引台下观众的注意力。

8. 无论在什么场合下发表演讲，都不要照着稿子直接念，或是大屏幕上显示什么就说什么。

9. 屏幕的背景颜色尽量选用蓝色，因为这个颜色是从台下观众的角度看过去相对最养眼的。

10. 用手在屏幕上指出需要强调的图片或者文字比用激光束打在上面更有震撼力。

11. 如果你内心比较紧张，那就尽量把声音压得低沉一些。不要把声音放得过高，那样会招致观众的反感。

12. 如果你是一位女士，那么在演讲时的着装就相对会有更大的选择空间，既然这样，不妨试着用一些鲜亮的服装颜色去帮助吸引观众的眼球。演讲时不要只把自己藏在演讲台之后，要充分利用舞台的其他空间，用手臂和手部的动作去帮助你强调你所要强调的东西。畏首畏尾的演讲会大大降低演讲的质量和与观众的沟通效果。

最后，一个真正优秀的演讲者要学会给听众"保温"，让听众听了你的一次发言之后还有再听的欲望。一次就把所有东西一股脑倒出来的演讲者并不高明。

## 如何处理团队中的人际关系

面对成千上万的听众演讲并不是一件容易的事情。发表公开演讲有它的好处，也有它的难处。如果这群观众非常友好和善，那么面对他们发表一次激情慷慨的演说是再好不过了。但如果这群观众本身并不友好的话，多说任何一句话都起不到好的效果。这也就是总统先生总爱到军事基地去发表政策演说的原因：因为台下士兵的态度必然恭敬而又积极，总统先生是三军统帅啊！沟通是由二元因素共同构成的：言语的发出者—你和接受者—听众。如果听众对你怀有敌意，那么无论你说什么他们都听不进去，还不如趁早想想有什么其他的方式把自己想要表达的信息传达出去（如报纸、新闻发布会、互联网等），或是看看能否在一个较小规模的群体中去发表演说。

不仅如此，这帮心怀敌意的人一旦从情感上被煽动起来，并且这种激动的情绪通过某种事先谋划好的方式蔓延开去，就很有可能酿成一场骚乱。大多数人的情绪和意志往往会使小部分人的观点被边缘化甚至被无情地践踏。这样的事就曾经发生在东方航空公司内部：公司有一小部分的员工希望自己的观点和利益能在股东大会上得到反映，但是最终由于一些原因而未被采纳。很多退休人员和濒临失业人员的呐喊多次被淹没在了更大的利益集团的声浪之下。但是我想，如果每个人都能有一次经过深思熟虑之后的、自主的、不被他人操控的投票机会的话，结果也许会截然不同。但令人无可奈何的是，事实证明总是"声音大"的群体最终能占得上风，航空公司最终还是倒闭了，大家都丢了饭碗，退休员工再也拿不到养老金了。

## 情景五：场合和方式

如何才能让自己的话更具影响力？这与你能否聪明地选择一个合适的演讲地点很有关系。美国前总统罗纳德·里根在位于柏林墙的勃兰登堡门前的那句"戈尔巴乔夫，推倒这座墙吧"可谓掷地有声，墙的背后就是社会主义东德；当马丁·路德·金抛出那句经久不衰的"我有一个梦想"的时候，他选择了站在林肯公墓这一极具象征意义的地点。正如马丁·路德·金自己所言，他之所以站在那里是因为他要和像林肯一样永远追求伟大、自由、理性的人一起并肩战斗。无论是里根还是马丁·路德·金，他们都是巧妙地将听觉与视觉这两大演讲中的重要元素结合在了一起，才使自己的名言永远地留在了人们的心里。不仅当时在场的听众会铭记他们的话，就连万千后人也是一样。我想，当初这两位名人要是

FBI 教你破解身体语言

LOUDER THAN WORDS

白金升级版

选择了在华盛顿的某家酒店的舞厅内发表演说的话，恐怕绝不会引起如此大的反响。

所以，当你有什么重要的信息需要与人交流或是传达时，先问问自己哪里是最合适的场所，什么是最合适的方式。说到这里，我不得不又提到前面曾经讲过的东西。在前面的分析中我们曾经讲过，一个人说话的分量和他在他人心目中的形象有着很大的关系。所以平时一定要注意塑造和维护自己在他人心目中的良好形象，如果做不到这一点的话，无论你说什么都不会引起别人的重视和在意。回想一下美国汽车行业三大巨头齐聚华盛顿国会寻求资金帮助的故事吧。那一刻，无论这三位巨头再说什么也是白费，因为自己在他人心目中的形象已经带有不可磨灭的污点了。

这一章里我们谈到的大部分内容围绕的都是一个主题，那就是如何在自己的头上营造一个光环。无论你说什么，做什么，即使是有一天你从某一个组织中离开了，这个光环还是会一如既往地照耀着你。什么样的人才能带得起这样的光环呢？只有言行一致，信守承诺的人才有这份殊荣。

在这样一个以信息和视觉为主导的社会中，保持良好的个人形象已经不仅仅是为了讨好老板或周围同事、朋友了，它的重要性体现在生活的方方面面，而且这种重要性还在不断增加。如果你不好好打理自己的形象的话，总有一天会自食恶果。

除此之外，信息传播的高速性和普及性也迫使我们必须要好好管理个人形象和言谈举止。

## 〜〜〜 情景六：面试 〜〜〜

生活中恐怕没有什么能比让人去参加面试时更加注意自己的形象了。一旦非言语智慧成为你的第二天性，那么面试对你也就不会再成为什么难事了。你一定会以饱满的精神状态和充足的"战前"准备，自信满满地迎接挑战。

招聘方在聘用雇员的时候应该首先考虑，如果聘用了这个人，他在顾客心目中的接受度能达到多少。这并不是要大家以貌取人、鲁莽定夺，而是要在决定雇用一个员工之前，先评估好这个人的技能和行事作风是否与公司整体风格和要求相一致。如果两者之间不相匹配的话，那么双方都应该"另觅他人"。对用人单位而言，最不愿意看到的是，一些本来很有才华的年轻人，因为不懂得在面试中的技巧和规矩而最终错失难得的就业机会。以下几条建议希望能够帮助正在参加各种面试的人们正确运用非言语行为，尽可能在考官心目中树立一个积极的形象：

1. 为成功做好准备。在参加面试之前除了要事先了解公司的财政运营状况、浏览公司网站、参加宣讲会之外，还有一些其他方面的功夫也要做足：比如事先拜访一下这家公司，和前台的工作人员聊上几句，开车路过这里时注意观察一下公司内部职员平时上班会穿着什么样的服装，是西装革履还是简单随意；何时上班，何时下班；朝九晚五还是经常要早到或是加班；工作人员脸上的表情大多是惬意的还是紧张的等。但如果你发现工作人员平时着装比较随便的话，那么你在面试的时候应该比他们的着装更为正式一个等级才好。

2. 准备面试问题。现在各大公司的人力资源专员都对面试者在面试过程中遇到困难问题时的表现非常警觉和敏感。正因如此，你必须要确保在与面试官谈话时做到语速流畅、干净果断。所以，在面试之前，不妨先对有可能被问及的问题做一些准备（比如说为什么离开上一份工作、在两份工作之间的这段时间你做了什么等）。同时你还可以准备一些供临时作答的答案，比如遇到不会回答的问题时可以先说："我目前手头上没有关于这方面的详细信息，但我会尽快把收集到的数据告诉您。"

3. 注意外表。如果不是听了无数的人力资源专员跟我强调这一点的重要性，我还真没想到面试者对应聘人员最低的要求竟是：衣着整洁、皮鞋光亮、指甲不能太脏太长、懂得化一副适合自己的妆容、不要喷过浓的香水。如果达不到上述要求的话，你很有可能会被面试官拒之门外（尤其是应聘医药、食品和银行行业的面试，以上都是最基本的底线要求）。这些要求不是暂时的，而是永久性的（关于如何管理好自己的形象，请参见第四章"行为的力量"和第五章"外表的力量"）。

4. 别忘了永远保持灿烂的微笑。微笑可以把你更好地推销出去。

5. 即使紧张也不要慌乱，继续做该做的事情。在面试中有紧张的感觉是很正常的，所以即使紧张了也不要太在意，就让它过去。即使从你的动作中看出了内心稍许紧张的感觉，面试官们也会给予理解的。

6. 如果面试官让你随便坐的话，你最好问一句："您希望我坐在哪里？"因为这可以体现你对对方的尊重。毕竟是来到对方的公司应聘，要将自己对公司职员和公司本身的尊敬有礼体现在方方面面。

7. 如果对方邀请你喝点东西的话，不妨接受，因为饮料可以帮助人们缓解紧张感。

8. 在与对方沟通的全过程中，始终要保持精力集中。身体坐直、微微前倾、脚平放在地板上。眼睛要专注在面试官身上，自然但不游离（只有面试官或是等级较高的人才有权利把眼光投向除应聘者之外的其他地方）。

9. 一旦双方之间彼此了解了，在谈话时就可以有一点角

FBI 教你破解身体语言

LOUDER THAN WORDS

白金

升级版

度和姿势的变化。因为这样做会更有利于双方之间的沟通。坐着的时候除了要保持双腿合并，还要保持身体向前微倾，因为一边后仰一边交叉双腿会给人以傲慢自负的感觉。当然，你也可以注意模仿面试官的动作和行为。如果他的身体渐渐放松下来，并且开始后仰，你也可以随之这样做，但是幅度不宜过大。

10. 参加面试的时候手里切忌拿着手机，在进入房间的那一刻应该把手机立即关掉。

11. 与面试官交流的语言中避免出现表示犹豫、含糊、矫揉造作的词汇，更不能出现粗话。

12. 最后要说的是，一切建议的核心就是要充满自信，任何事物也代替不了自信心的重要性。在开始面试之前要不断暗示自己：我已经做了充分的准备，我要对自己有信心。然后放松心态，轻松上阵。

在本章一开头的时候我就说到，在谈判中什么时候去使用非言语行为，是一个非常关键的问题。当别人试图胁迫你、威胁你的时候，非言语智慧一定会派上大用场。它可以帮助你底气十足地坚定自己的立场，做自己该做的事情，敢于肯定自己在他人心目中的形象，同时也增加个人的自信与尊严。但是归根结底，非言语智慧的最大用途还是去公平地解决问题，有效地进行沟通，不是以牺牲他人的利益，而是以双方共同的努力为代价，换取一个平等互利的结果，进而达成自己的任务和目标。无论是在大型还是小型的会议、谈判、陈述报告、面试访谈中，我们都要想到一点：做什么样的事情才有助于提升自己？我所做的每一件事情，它的意义在哪里？一旦你开始考虑这个问题，就证明你是在慢慢挖掘和开启自己掩藏着的非言语智慧了。

NO.8

第八章

# 情感中的非言语智慧

LOUDER

THAN

WORDS

有一次，我应邀为一些军工产品经销商做了一场以"工作中的暴力"为题的主题报告。报告进行到一半时，我惊奇地发现听众席中有一位男士突然将头低下，双手捂着脸，轻轻哭泣起来。看到这一场景，我马上跟在场的听众说："大家先休息一会吧。"虽然刚刚休息不久，但我还是坚持说"我们现在需要再休息一会。"

主持人走到我的面前，问道："怎么了，为什么又要休息？"我回答说："咱们过去问问那位正在哭泣的听众，看看发生什么事了。"

一经询问，我们终于明白了事情的真相。原来，这位男士所在的公司正在缩编，而他作为经理，自然成为了职工们的众矢之的。几个月以来，他的汽车被划、轮胎被放气、办公室的椅子上被人粘了泡泡糖，甚至遭人威胁恐吓。面对这样糟糕的局面，他却敢怒不敢言，生怕被别人嘲笑软弱无能、抗压能力差，或是在困难面前胆小如鼠。所以一直以来，他只能将满腹的委屈都憋在心里。

几分钟后，我继续做我的报告。但是在会议结束之后，我马上通知该公司人力资源部门的管理人员、劳动者保护协会的几名代表，以及几位保安共同协助这位经理解决他的问题。

下面讲述的是我在做报告时看到的又一个情景：一位多

年来为公司忠心耿耿、鞍前马后的"元老级"员工当得知自己要被解聘的时候，心情异常痛苦。他坐在所有同事和老板面前，眼泪哗哗地顺着脸颊往下流，痛苦的心情溢于言表。我当时就在想：这位老员工处在这样的情绪中不知已经多久了？不知有多少次他都是怀着失望和落寞的心情走在公司的走廊或是独自在办公室内发呆的？有时周围的朋友们或是同事们已经用自己的表现充分传达出了他们内心的真实感受：我的心情非常低落。但我们并不愿意用心地去看、去观察、去体会他们的心理变化，我们常常忽视这些东西。

所幸的是，主持人恰好对解决这一问题很有办法，他帮忙联系了相关人员，并请到了一个团队一起帮助这位观众渡过心理上的难关。可以说，如果这位老员工再得不到有效的开解和辅导的话，事态的发展将会很严重。当事人可能会出现自行服药甚至自残的行为。但如果我们能及时帮他一把的话，悲剧就有可能被有效地避免了。

以上这两个例子充分说明了一个共同的问题，那就是：即使一个人一句话也不说，我们也完全能够通过观察他的身体动作和种种表现，去了解其真实的内心情感。

具备一定的非言语知识可以帮助我们对周围的人和事保持更高的敏感度，不要等到一个人已经快走到崩溃的边缘或是事态已经发展到不可挽回的地步时我们才觉醒。有时，事物的真相之所以被掩盖并不是因为有人想说谎去隐瞒,而是因为将这些事与周围的人沟通和交流对他而言真的太困难、太痛苦了,甚至于根本无从说起、难以启齿。实际上,一个人心中所想是完全可以通过大脑反映在他的一言一行当中的。只要我们注意观察和思考,答案就在你的身边。

## 理智与情感

工作中人们常常提醒自己要理智地思考和处理一切问题,但实际上有的时候我们发现,感性与情感却总能占得上风。任何一个因为工作中的种种原因——无论是因为小事,比如老板因为你没把做好的报告交给秘书而直接放在他的办公桌上而大发脾气,还是因为自己的鲁莽无知成为了他人权力角逐中的牺牲品而饭碗不保——总之,闹过"办公室风波"的人,恐怕都能深深地体会这一点。

当一天的工作结束之后,你的脑子里会留下些什么?当然,你可能会记得这一天都完成了哪些工作,但是还有一样东西也是在你的脑海中挥之不去的,那就是你的感觉如何:成功的荣耀感?怒火中烧的愤懑感?如坐针毡的焦虑感还是如鲠在喉的为难感?

虽然我们每个人都想尽量把自己的工作和生活分得清清楚楚,但是内心的感情和情绪的抒发断然不是说停就停,说消就消的，生活和工作事实上是很难截然分开的。还记得当初我接到外祖母在迈阿密去世的消息时，正在坦帕市的办公室里工作。那时候，我不仅是整个FBI的高级警官还是反恐特警队的队长，肩戴徽章，枪不离身，公务极其繁忙。在别人面前我是个铮铮铁骨的硬汉，但是面对亲人去世的消息，我还是伤心地心都要碎了。小时候，妈妈要上班，我是被外祖母一手带大的。每每想到过去的那些时光，我就马上提醒自己必须要尽快坚强地回到现实中来——但是我不能，坦白说，当生命中有重大事件发生时，人是不可能压抑和控制自己的情绪的，这样的事情每个人都会经历。

虽然说人的情绪或情感一旦爆发就很难收拾，但是从未有人教过我们应该如何去控制情绪。一个人懂得管理情绪，不被情绪所左右和主导是非常重要的。丹尼尔·戈尔曼曾经写过一本关于情感智慧的书，这本书中所讲的所谓情感智慧其实指的就是这个。在这一章里，我将为大家介绍几种处理和应对不同情绪的方法。我们不仅仅要学会处理和掌握老板、下属、同事和客户的情绪，也要学会处理和掌握自己的情绪。

## ≈≈≈ 识别负面情绪 ≈≈≈

关于人类的种种情绪，有一点是最基本的，也是值得我们牢记的，那就是：人的边缘指令无处不在。即使是一种负面的情绪，只要它在你的内心足够强烈，依然可以打败理性与逻辑：当一架飞机向地面驶来时，即使是离飞机八丈远的人也会不由自主或者说下意识地缩起脖子，做出逃避或是防范动作；你是否曾经注意过，在和别人大吵一架后，回过头来才意识到：当时自己要是那么说就好了，一定能把对方驳斥得更加理屈词穷、体无完肤。所有这些现象背后共同的原因只有一个，那就是当人的情绪处于某个高点或受到威胁的时候，主管情感的脑半球和大脑边缘系统总是倾向于使人做出中立判断或是举动的能力。正因如此，我们必须时时准备好去应对当某种情感处于兴奋高点时自己的状态。尤其是警察、抢险队员和飞行员，一定要学会面对和处理自己的极端情绪。

人类面对传统威胁时大脑的边缘反映，虽然在过去的几千年来成功保证了自己的生存和繁衍，但是面对现代生活中的重重压力和情感波动，只靠边缘系统的自然性反映恐怕是远远不够的。现代人内心的"暴风骤雨"很可能是突然间爆发的，有可能是为了别人的一句无礼顶撞、股市的大涨大跌、家中的杂务、单位里难伺候的老板或是其他七七八八的刺激造成的。

前文所述的 3F 原则——停住不动、转移逃跑、大打出手在生活中也许值得我们借鉴，但在工作场合恐怕这三点并不怎么好用。比如说，如果你是一个领导，面对困难和压力时自己先乱了阵脚，被吓的"停住不动"，那还何以服众？更不要说是"临阵脱逃"了。大打出手在公司里是更加不能被允许的（吵架、扔东西、拳脚相向），这些都不是解决问题的方法。不仅如此，凡事只会用拳头解决难题的人，最不容易赢得别人的信任和尊重。我可不想成为那样的人，相信所有的读者朋友们也不想。

## 捕捉情绪

正如前面所讲，所有的情绪，不管是好的还是坏的，都受人类边缘系统的控制。同时这些情绪又可以反过来控制人的肢体动作和对周围发生事物的反映。如果一个人内心正经历着痛苦的挣扎，通常这样的情绪也可以反映在脸上。无论背后的原因为何，作为旁观者，第一步是要敏感地捕捉和察觉这种情绪，并进一步予以确认。最怕的就是明明察觉到了身边有人出现了异样还总假装什么都没发生，视而不见。夫妻之间的感情之所以会日渐疏远和冷淡，其中一个很重要的原因就是彼此之间不再那么在意和关切对方内心情感的变化了。即使有事发生，也对这件事可能给对方造成的影响漠不关心。要记住，如果作为旁观者的你已经感受到些什么了，那么十有八九，那就是真的。

所以说，准确地捕捉出对方的情绪是迈出你和对方彼此了解信任的第一步。当一家老小一起在医院的候诊室内等候出了车祸的孩子时，你会发现每个人的动作和表情其实都是相同的，因为大家的心情是一样的。看着彼此之间相同的痛苦神情，每一个人从中都得到了一定程度的安慰和鼓励。但是为了更好地帮助他们摆脱痛苦的心情，治疗心中的伤痛，首先要捕捉和辨认出这种情感，以及这种情感的剧烈程度。问清发生了什么，随后才好对症下药。

## ～～～处理工作中的情绪～～～

工作中相信人人都曾遇到过这样的情况：由于完成某件工作的压力过大导致在员工内部引起了极大的紧张感和强烈的情绪波动。虽然谁都希望这样的状况越少越好，但是当它的的确确发生了，甚至成为了公司里的常事时，应该如何处理呢？

首先，身为公司的领导者，面对这种情况要第一时间进行处理，不要使其发展成为员工之间的习惯性问题。至于处理这类问题的方法可以沿用前文中我们已经讲到过的那些技巧。这里要提醒大家注意的是，正如我们不能助长"歪风邪气"，如迟到早退、工作懒散、违反公司的着装规定一样，对于员工身上反复发生的情绪波动，如在工作场合大声哭泣、火冒三丈或者矫揉造作的行为同样不能纵容。

有些人喜欢耍小聪明，在老板面前用尽各种方式来逃避责任、躲避批评或是不愿承担自己所做行为的后果。就连我曾经审讯过的很多心狠手辣的罪犯都有过多次出于同情之意而使自己的情感防线在不经意间被击溃的经历，更不要说我们普通人了。有的时候人很容易被别人的一两句话而打动。但是不管是有意的还是无意的，在工作场合下肆意在同事和领导面前表现个人意志或情绪的做法是不好的。作为公司的管理者，应该严格规范员工的行为，强化员工的素质。

表现个人情感有时可以用来控制他人，所以在工作场合下应该尽量避免。有些边缘型人格异常或是剧化型人格异常的人经常以歇斯底里式的情感爆发来企图操控他人。如果你的身边有这种人的话，我要提示你特别注意。因为这样的人往往特别喜欢在别人面前讲述或突出体现自己的经历和情感，这些人的这种行为不仅会分散其他员工在工作中的注意力，还会使他人觉得有义务对当事人给予同情和帮助。这样一来，正常的工作被打扰了不说，其他同事还免不了受到牵连和批评。如果不加以控制的话，这种行为将会愈演愈烈，越来越难以控制。

我常教育企业管理人员说，如果你的企业里恰好有这样的员工，他们遇到一点小事就抱怨连天，甚至是哭鼻子的话，那么，在给这位员工留足面子的前提之下，必须要给他设定一个时间上的期限。如果到期之后他还不能很好地控制自己的情绪的话，就必须对其施以惩罚。因为这些人的行为从大局着眼是不利于全体员工的工作士气和效率的。尤其重要的是，你决不能让自己成为他抱怨或者哭诉的忠实听众。递上一盒面巾纸之后就要马上对他说："我知道你现在很难过，但是现在我必须离开五分钟让你自己平复一下心情，五分钟之后我再回来。"记住，千万不能被对方的情绪牵着鼻子走，尤其当这种行为已经不是第一次了的时候。

正如在队伍里的士兵如果为一点小病小痛就呼天抢地的话，长官总是会严厉地说："要演戏回家演给你妈看去！"一样，在公共场合下我们容不得任何一个人任意胡为。对于那些屡次规劝仍不见好转的员工，我建议他们去寻求一些专业人士的帮助。领导的任务是带领一个团队向前冲，而不是做某一个人的治疗专家。类似这样的问题不是领导者该操心的，真正应该出面帮助解决的是人力资源部门的同事。

## 〰〰 处理自我情绪 〰〰

前面我们一直在讨论如何面对和处理别人的情绪，那我们自己的情绪应该如何管理呢？我生平总是很佩服那些临危不惧，在危难面前表现出大无畏精神的战士们，他们的英勇行为常常让普通人感到汗颜。他们之所以能够在大多事情面前都表现得训练有素，是因为经过了多年的训练之后，他们已经能够自我掌控和自主处理大脑边缘系统发出的各项指令，充分发挥大脑认知能力的功效。如果你也想像他们一样学会自己驾驭边缘指令的话，以下几个技巧会对你大有裨益：

### 反直觉

无论是战场上战斗的士兵还是 FBI 警务人员在接受专业训练的时候都知道一点，那就是一旦遭遇了敌人的埋伏，第一步要做的不是放低姿态也不是就地撤退，而是坚持，是继续前进。这个时候如果选择了逃跑或是寻求庇护的话，结果将是必死无疑。但是这个时候你若是能够坚持向前冲，无论敌人是否存在优势，都可以达到迷惑对方（因为这很可能是对方始料未及的）、动摇军心（当你英勇向前的时候敌人很有可能反被你的气势吓倒），或是使对方受到人类边缘系统自然反应控制（如被猛地惊呆了或是仓皇而逃）的效果。虽然这些事情听起来和我们直觉上的第一反应不同，但是这个办法确实是非常有效的。

起初我将这套方法教给学员们时，他们也是半信半疑。但是经过了一段时间的"快速反应训练"之后，他们个个都学会了克服正常状态下的边缘反应，锻炼了自己以积极的行动面对不利局面的能力。但是这样的一种能力在当今社会的商场上有何用武之地呢？请继续往下读。

### 生活中总会有不如意发生

首先，我们每个人都必须清楚，在这个世界上每天都在发生着各种各样的事情，这些事情中肯定会有一些是不愉快的，于是乎，我们的边缘系统就会做出相应的情绪反应，例如生气、伤心、焦虑、不屑、恶心或是蔑视等。所以，如果自己某一天因为某件事而气得说不出话来、陷入困境不知如何自拔，或是被惊得坐在椅子上动也不能动的时候，不必感到惊奇。但是与此同时，你也要知道，尽管大多数的边缘系统反应都是精神上的，却往往也可以体现在肢体动作上。同时，这些情绪上的反应是完全可以被人类自己所掌控的。在前文中实际上我们已经为读者们介绍了，人的边缘指令虽然是自然的、占据优先地位的，但是只要有合理的方法，你可以对它们进行有效的管理。

### 随时从情感上做好经受挫折的准备

假设目前你所工作的这家公司的老板和同事常常使你感到生气、不顺心、悲伤或者工作压力繁重，那该怎么办？正确的方法不是天天期盼着如何避免或是祈求噩梦赶快结束，而是应该反其道而行之：提前做好应对挫折的心理准备，未雨绸缪，勇敢迎战。这就是我们前面讲过的所谓"快速行动策略"。在工作之初，你就应该提早设想好如何应对难缠的老板和难处的同事，至少在心理上和情感上要做好这样的准备。以下我们为读者提供了一套"模板"，如果需要的话建议读者可以在家里提前将这些"锦囊妙计"操练一番，你可以选择自己对着镜子练习，也可以找个好朋友在身边和自己一起练习。但是无论采取哪种方式，记住，最重要的是训练自己的反应方式和灵敏程度。

说起处理情绪，这可跟你有多么聪明或是你获取了多少个金灿灿的学位没有任何关系。它实际上是看一个人如何处理和对待大脑中感性、非逻辑性的一面。如果你总是爱在自己怒火中烧时迁怒于他人的话，总有一天你会感到无比悔恨，因为这样做不仅对不起自己，也对不起他人。对方本来并没有错，反而因为你内心的不愉快而受到伤害。正因如此，我们每个人都应该学会用非言语智慧的力量去使沟通更为有效，尤其是当沟通中涉及感情和情绪的时候，更要小心对待、谨慎处理。

## 〰〰 眼部放松 〰〰

人的边缘系统一旦被调动，身体就很难再放松下来。但是尽管如此，只有先使自己放松下来，我们才能够以平静的心情去理解别人生气、担心、不情愿、反对或者挑衅的原因。当一个人精神高度紧张时，其观察能力会明显下降。所以，要想当一个"明察秋毫"的人，先要学会在观察前使自己的全身肌肉放松下来，包括眼部，因为这样做可以使眼睛看得比平时更清楚。在压力之下的人眼由于受到边缘系统的支配和影响，总是急于寻找注意力的放置点，倾向于将目光集中于细小之处，以便找到危险所在或是逃跑路线。这也就是为什么如果你请一些曾经历过枪击或其他惊心动魄的事件的人回忆当时的情景，他们总是能将每一个曾看到的细节都复述得清清楚楚，并把整个事发过程都原原本本地描述出来的原因。眼睛的这种特性在危难之中或许能救人一命，但在商场上却可能给人带来致命性的打击。总之一句话，人的最佳状态总是在相对放松的状态下才能表现出来的。

### 别人烦躁时：制造一些距离

人高兴的时候总愿意有人来分享，但心情烦躁郁闷的时候却往往希望能有时间独处。这也就是为什么一对吵架的夫妻之间往往会对对方大喊："离我远一点！"虽然这些只是气话，但却是人类边缘系统的自然反应。当人被负面情绪控制了的时候，大脑是需要一定的空间和时间进行自我调整和疏离才能重新恢复到正常状态的。如果这个时候我们得不到一个不被打扰的自我空间的话，负面情绪就会继续下去，绵延不绝。

所以，当别人正处于烦躁和压抑的情绪中时，我们最好能先与他保持一段距离。正如前文所言——有意识地靠边站。实验表明，人与人之间的视线只要不是笔直相对，哪怕只有一点点的角度，血压就会有明显的下降。所以，当一位正在气头上或是情感正处于极端点上的员工冲进你的办公室时，他往往会有双手插腰、嗓门提高、下巴上抬等动作。面对这样的人，你最先要做的就是往后退几步或是稍微往旁边靠一点，避免和对方当面锣对面鼓地正面交锋。这样你就会发现，对方的情绪会慢慢平静下来。

应对这种情况的又一有效方法是我们前面所讲过的"动作镜像法"。如果对方的愤慨和伤心本身就是因你而起，而当他怒气冲冲地冲到你的办公室要理论一番，面对的却是你的冷言冷语或是满不在乎的话，那么无论是对方的情绪还是整个事态都会向着更坏的方向发展。无论如何，你至少应该做到恭敬地坐起身，认认真真地听对方把事情的原委倾诉完并表达自己的理解与关切的态度。你并不需要完全同意对方的说法，但是至少你要表现出自己对对方的重视，不能因为对方情绪上的一时冲动就将他拒之门外。这个时候，镜像法可以大大帮助你做到这一点，它可以帮助你向对方传达出这样

FBI 教你破解身体语言
LOUDER THAN WORDS

白金
升级版

的信息："我对你的处境和遭遇非常理解和关切,这件事情对我而言也同样重要。"对方最不愿意看到的就是当他跟你倾诉的时候,你却忙于在电脑前收发电子邮件,事不关己似地舒舒服服地仰在椅子上或是匆匆忙忙地赶去开会的样子。

**规劝别人时:永远不要这样说**

规劝别人的时候永远不要试图用感性的方式去使对方恢复理性,最典型的错误做法就是一个劲地对对方说:"您冷静一下,冷静一下。"真正正确的做法是了解对方情感波动的症结到底在哪里:"咱们先一起聊聊,告诉我你是怎么想的。"这样说的目的是要为对方的情感保留一片空间,同时也给对方目前心中正占据主导位置的情感保有一份尊重。当你说"冷静一下"的时候,实际上是在阻止对方情绪的宣泄。以下几种劝说他人的方法恐怕能更好地帮助疏通对方的情感与心结:

注意重新调整自己的说话方式:说的慢一些、轻一些。这样做首先能够减少自己这一方的情感压力,同时也让对方镇静下来。为什么呢?因为每个人的身体都愿意寻求平衡和稳定,当自己的内心无法平衡与稳定时,我们就会想在他人身上寻找这种感觉。就好像小孩子摔倒的时候总愿意从家长那里得到安慰和抚摸一样。

深呼吸，并且保证呼气的时间比吸气要长。之所以要做这个动作是因为周围的人看见你做这个动作的时候往往都会效仿。我之所以学会了这招还要得益于自己在罗斯福路海军医院接受医师训练时的一位医师，是他教会我这一招的。后来我发现这一招真的特别管用（尤其是在急诊室，或是人多、空气杂的空间内）。与其对别人说"您先冷静一下"或是"别那么激动"，还不如带头做做深呼吸的动作来得管用。

如果一个人确实处于情感的剧烈波动期的话，不妨反复使用这个方法：让他和你同节奏地呼吸。先让他看看你完成整个深吸气再深呼气的动作，然后按照你的频率和力度进行模仿。反复几次之后，在你的带领下，他的心情会逐渐平静下来。听了我介绍的这个方法，你可能会觉得这不可能办到，但是先别急着下定论。告诉你，我说的这套方法在医学临床上早已经被广泛使用，尤其是对催眠特别有效。正如我前面提到过的那样，每个人都在寻找内心的平衡和稳定，当自己达不到的时候，就会在别人身上寻找这种感觉。

### 审讯犯人时：互惠定律

在FBI做审讯工作的时候，我学习到了一条重要的审讯技巧，那就是在审讯之前先让犯人把自己心中所有的情绪全部宣泄出来。之所以坚持这样做是因为这样做有一个好处，那就是它可以帮助减少犯人在整个审讯过程中的反复无常，或者说降低犯人表现的易变性。传统上来讲，一般我们应对这个问题采用的是"注意力分散"法，但事实证明我所使用的这种方法在实际审讯中更为有效。尽管有的时候有人批评我这样做容易造成犯人的情绪失控，但是多年以来我从未因此而改变自己的做法。

事实上，我不仅允许犯人尽量释放自己的情绪，我甚至还鼓励他们这样做。我让犯人们不断重复自己内心的感受，把自己压抑在内心的所有愤怒和怨恨，一遍又一遍地讲出来。下面我就来解释一下原因。想必大家都知道热力学第二定律：所有的事物都存在不断消耗自身能量并最终瓦解的趋势。而我恰恰就是将这个定律运用到了人的情感上。让人自己把情感全部迸发出来之后，内部的能量也就随之耗尽，直至没有力气再说任何一句话、一个词。这个时候，才该是我出场的时候。

进入这个阶段之后，另外一个定律就派上用场了，那就是互惠定律。给了他们足够的空间和时间释放内心积郁的情感之后，犯人对我提出的简单要求和问题就会变得顺从很多了。这就好比当你从别人那里得到好处或者甜头之后，就会总想着回报点什么。这个简单的道理尽人皆知——今天我照顾你，明天你也会照顾我；今天我给你口饭吃，明天你也不会让我饿着；今天你听我的，明天我也会听你的。正是因为我已经为那些受讯者充当了一名最好的倾听者了，现在该是他们欠我的时候了，而这也就成为了我下一步工作中的有力砝码。

对付那些没什么把柄落在自己手中的人，这一招非常管用。正所谓先礼后兵，只要先让对方把自己肚子里的苦水倒出来，或者把自己的想法和观点清清楚楚地申述出来，那么如果当轮到你说话的时候对方的态度还是非常抗拒的话，你就完全可以说："先等等，刚刚我已经做了你非常好的倾听者了，现在出于公平起见，你也心平气和地听我说两句吧。"

## 〰️ 力量宣泄 〰️

有一天，我接到了一位老朋友的电话，电话里他向我抱怨说自己的一位员工把一位非常重要的大客户得罪得够呛。"这么大的损失谁来承担？"他气呼呼地说道，"我是不是应该派这个员工去和那位客户道个歉？"当时我给他的建议是不妨由他先给那位客户打个电话，让对方把受到的委屈和心中的不满好好说一说。作为公司的领导，他的身份地位比那位职员要高得多，客户能亲自在领导面前发发牢骚，分量自然不同，心里会舒服很多。随后再让那位员工补上一封道歉信，这样的做法也许更加稳妥。

## 处理顾客的情绪

客户服务部门的设置和工作项目很多，但是在我看来，客服部门最重要的工作就是倾听，倾听顾客的心声。事实上，客服工作每天需要研究和处理的不是别的，就是把握每一名顾客的情绪：顾客对你满意还是不满意。记住，情感总是战胜理智。正因如此，即使有的时候你觉得自己已经付出所有努力了，但是顾客对答案可能还是不满意。无论如何，对于从事客服工作的人来说，非言语动作绝对是表现对顾客关心、尊重和认真倾听的最有效手段。

上面我所谈到过的所有应对工作和生活中种种情绪和情感的办法，在应对对服务不满的顾客时都同样适用。只不过在原有的基础上还有一些值得注意的地方。

### 谁来倾听顾客的抱怨

如何才能帮顾客尽快消气？选择一个合适的人先去倾听顾客的种种抱怨是非常关键的一环。前文中我曾经提到过一个例子，那就是我的一个朋友，身为公司的经理，主动要求顾客把对服务的不满向自己倾诉。顾客一股脑地把怨气全部发泄完之后，我的朋友才对那位顾客说："如果您今后还有什么问题的话，随时与我联系，我愿意随时倾听您的抱怨和意见。但是现在还有一件事情，那就是我会把您的这件投诉转述给我的同事，同时我也会去再听一听他的感受和对这件事情的解释。"后来我的那位经理朋友让手下的同事为顾客赔了礼，并送上了一封道歉信，一切就这么迎刃而解了。

一开始的时候，我的那位经理朋友对我提出的这个解决方案不甚理解，他告诉我说："这跟我以前学到的对类似事件的处理方法一点也不一样。我以前认为，遇到这样的事情应该让当事职员和顾客面对面地交流，然后跟顾客赔礼道歉就行了。"其实他说的也是一种不错的办法。但是从顾客的角度讲，如果他能有机会把自己的满腹怨气亲自跟公司的经理说一说，他的心里会好受很多。这样做会让顾客心里觉得自己的话更有分量，因为经理势必比普通职员更有力量去改变和解决问题。顾客的心里很清楚，如果今天他不能把自己的意见反映给领导的话，那么十有八九这个意见会石沉大海。所以与其这样，不如就去满足他这个心理需求，给他一个机会，当面跟公司的经理抱怨和发泄一下，这样做对于事情的最终解决和重新建立员工与顾客之间的良好关系是非常有帮助的：给顾客一个直接与领导对话的机会，会让他感觉自己备受尊重。

### 解决顾客投诉的方式

决定了由谁受理顾客的投诉之后，接下来你要考虑的问题应该是解决这项投诉的方式。是使用最简单的方式处理——比如打一通电话；还是在一通电话的基础上再追加一次登门拜访；还是不仅要打电话、登门拜访还要向顾客致以道歉信。选择哪种道歉方式主要取决于顾客生气的程度和这位顾客本身的脾气秉性。但是无论在何种情况下，都要懂得运用非言语智慧，随机应变地处理各种情况和局面。

## 〜〜〜 渡过情绪的难关：幽默和风趣 〜〜〜

无论是在生活还是工作中，备感压力的时候若是能用小轻松或是小幽默缓解一下，那无疑会是一种最好的疲惫舒缓剂了。我曾经看到过很多有钱人，他们自己有车、有船、有先进的电子设备还有很多很多常人无法拥有的东西。可悲的是，这些人在生活中往往极度缺乏幽默感。其实，幽默感不是要学会讲笑话或是搞鬼把戏，而是要学会如何聪明地去处理、解决一些本会令人感到尴尬或难堪的事情。之所以在这里我会谈到幽默感的重要性是因为我发现现如今在我们的生活和工作中懂得幽默的人越来越少了。

在 FBI 工作的时候，几乎每个人都会将幽默有趣的元素融入到日常办案当中去。幽默是我们应对压力的良方。每天找点乐子，即使是在大家一起吃早餐时来上一段幽默风趣的对话，会帮助大家驱散压力。

我曾经跟过一桩案子，一跟就是十年，若是放在别人身上恐怕累都累死了，可是我总会试图在每次办案的过程中都给自己找点乐子。在 FBI 办案的那几年，我最开心的事情莫过于和情报分析专家马克·里瑟之间展开合作。我有很多起反间谍的案子之所以能够破获成功，都要归功于他高超的分析能力。马克现在依然还在 FBI 工作，他是一位聪明绝顶、工作努力、从不放过任何一个细节的人。不仅如此，他还是一位好父亲和朋友眼中的好同事。在工作中有一点我们永远是一致的，那就是我们两个人都懂得如何在每一件工作中寻找幽默和乐趣，这就是我们的工作方式。直至今日，当我们彼此之间通电话的时候，还是一聊起来就笑声不断。

还记得那段时间，我和马克为这个案子每天需要工作 12～16 个小时。我们经办的这件案子不仅总部非常重视，就连五角大楼和国家安全局都急切地等待着最终结果。后来，案子终于成功破获了，我俩都认为这和平时工作中适当的调剂是分不开的。在我们这个组合经手此案之前，有很多其他的团队虽然也曾工作得非常努力，但是他们失败的重要原因之一就是把自己搞得过于紧张和压抑。他们忘了一点，寻找工作中的乐趣和幽默是自己的事情，没有这个能力，人是很难长期坚持在一项工作上的，而且效果也不好。没有了乐趣的工作只能变为大家共同的负担。

我的朋友还曾经为我讲过他和他的同事是如何凭借着幽

默渡过了工作上的一大难关的故事。"当时我们的公司正在裁员，一个人要干几个人的活。所有剩下来的员工都被安排到了新的办公室办公。到新办公室的第一天，大家的任务就是打扫卫生——办公室里到处是灰尘，杂物堆了一大堆。中午的时候技术部门的工作人员又过来把电脑都搬走了，这下剩下我们几个就更不知道自己还能做点什么了。我记得当时大家一起点了一份外卖比萨，找了个空办公室，几个人在里面歇斯底里似的又吃又喝，又玩又闹。那天，大家在一起聊了我们沉默寡言的老板、性格古怪的客户、同事，以及在某次会议上领导本不让笑，但所有的同事们却不知为了什么事情笑作一团的事；我们还模仿公司里那些有特点的同事，然后相互猜测他模仿的是谁……公司裁员，每个人突然变得前途未卜，本该是心情最沮丧的时候。但是不知道为什么，这么多年来，我还从来没有哪一次像那天那样，笑的那么开心。"

幽默是帮助我们纾解紧张情绪的良方。我在日常生活中总是告诉身边的人，无论做什么事情都要善于从中寻找有意思的东西，因为如果不这样做的话，受罪的只能是你自己。无论是从身边的人身上还是每天发生的有意思的事情身上，我们总是可以找到欢乐的源泉。人除了需要成功之外，更加需要欢乐，你说呢？

保罗·艾克曼博士和她的助手们已经发现，如果一个人在脸上做出了痛苦的表情，那么他的大脑会将这种感情迅速内化，整个人的情绪也会随之消极起来。正因如此，人的情绪是在不断地变化之中的，任何一个微笑或一次皱眉，都会引起人内心情感的起伏。所以，人无论有了任何情绪都不要憋着，要知道，情绪是人类的自然反应，每一种情绪都不应该被我们忽视或是压抑。

但是尽管如此，如果一个人被自己或是他人的情绪完全左右了的话，那么这个人的边缘系统就会像一名开车的司机一样，只能被牢牢地困在自己的座驾上。其实，人最佳的做法是应该学会在两种能力之间寻求平衡：即感知能力和用理智思考的能力。非言语智慧可以帮助我们在两者之间找到很好的平衡，既充分表达出自己情感的同时，又能驾驭和控制有可能占据人理性意志的种种边缘反应。一个人若是能有一套行之有效的方法去理性应对随时可能出现的各种不同情绪的话，就能够做到即使面对逆境，也能够用勇敢积极的行为去面对。我，作为一名昔日的 FBI 反恐特警组长官，同时也作为一名商人，敢保证，非言语智慧已经不仅让我，也让很多其他的成功人士屡屡渡过难关。它能让人永远用一颗平和、勇敢的心去面对自己情绪上的起起伏伏。

我想，这就是为什么我们的消防队员能够在每天都面对突发状况的情况下永远做到处变不惊的原因；这就是为什么当飞机已经几乎残废的情况下萨伦伯格机长还能最终驾驶着它安全着陆在哈德孙河的原因。因为所有这些人都经历过专门的训练，训练自己即使在再大的压力下工作，面对再危险、再困难的局面，也能处变不惊，保持良好的心态和稳定的情绪。这样一来，他们周边的人也会因为他们的镇静而感到一丝安心和安全。面对困难，只要我们能够抛弃恐惧与不安，奇迹就一定会发生。

第八章　情感中的非言语智慧

# FBI NO.9 第九章

# 谁在说谎?

LOUDER
THAN
WORDS

审讯在平静的气氛中开始了。一位女性犯罪嫌疑人开始按照既定的方式回答对方提问她的各种开放式问题。但是随着审讯的推进，这位嫌疑人显得越来越坐立不安起来，因为她知道自己有一块最怕提及的致命伤——她曾经参与过一次政府欺诈行为。但是在审讯进行的前 40 分钟里，审讯官对这段经历始终没有提及。

这位女士显得越来越紧张、不安、心不在焉。她的种种怪异行为充分证明了自己"心中有鬼"。而这一切当然也被审讯官清清楚楚地看在眼里。最终，审讯官开口了："你好像有什么话要说，如果有的话，尽管一口气说完。""哦，谢天谢地，"她长舒了一口气说道："我实在是不知道怎么开口。我的车停在停车场上，规定的停车时限马上就要到了。先生，我实在不想被开罚单。"

话音刚落，坐在一旁的我不禁暗自窃喜起来。我是一个多么聪明、明察秋毫的 FBI 探员啊！我就知道她那一系列紧张的举动背后一定隐藏着什么不便告人的事情。其实，在这场审讯开始之前，我早就已经被告知这个女人曾经和一宗政府诈骗案有牵连，所以我提前就将相关的信息收集好，并且一早就料定她肯定是要为自己曾经的罪行遮掩的。到停车场续了停车时限之后她又回到了审讯的现场。回来时她还好好的，并没觉得有什么不对劲。但哪成想，就在她去停车场续停车时限的那短短的一段时间之内，身份证竟被偷了，罪犯还拿着她的身份证去银行取了现金。

这个事件不仅对我，同时对每一个人而言都是一个重要的教训：与欺骗有关的行为往往都和紧张有关。而紧张的原因可以有很多，比如因为不喜欢审讯官、不喜欢审讯环境、不喜欢审讯本身、不喜欢审讯时的咄咄逼人或不喜欢自己本来有序的生活节奏被打乱等。

平时我最常问别人的一个问题——这个问题也是和非言语行为或者身体语言紧密相关的——就是：我们如何才能察觉出日常生活中的欺骗行为呢？

## 〰〰 谁在说谎？如何甄别欺骗和谎言？ 〰〰

首先要声明的一点是，之所以要讲述这个事例并不是要阻拦或妨碍读者们去寻找合适的商业合作伙伴。讲这个事情的最终目的是让大家注意一点，那就是当你问对方问题的时候，一定要注意观察他的表情是否自然。比如说，当你想把钱委托给某个人进行投资之前，你肯定会有一箩筐的问题要问。如果对方是个诚实的人，他一定会非常愿意、诚实而细致地回答你的所有问题。但是如果这个人一听见你的问题就不耐烦，更不愿去认真回答它们的话，那恐怕你就要好好考虑一下了。不仅如此，即使是对方勉强给了你一个不痛不痒的答案，也足以使你赶紧把自己的警惕雷达启动。比如说，如果我想索要一些有关投资的材料，但是对方却只能支支吾吾地回答说："我目前手上没有，稍后一定为您补上"的话，那么我一定会马上警觉地面对眼前这个人，很有可能不会再跟他合作了。

说谎者只是懂得谎言本身，但是他们往往不懂得自己说谎的时候会表现出什么样的情绪。人在说谎时是意识不到也做不出可以表现自己信心和积极性的动作的。如果你面对的这个人在谈话时只是急于想从你那里得到钱财，每当讨论到你关切的利益点，他们就会表现出异常的兴奋的话，那我就要提醒你必须注意了。作为一名投资顾问，兴奋点应该出现在解答客户的问题上，而不是其他方面。我认为一名真正负责可信的顾问应该可以在任何时候都毫无保留、毫不犹豫、毫无障碍地回答我所提出的任何一个问题。

说谎的人最怕遇到三件事情：（1）被问到自己不喜欢回答的问题；（2）思考问题并想出一个合适的答案的过程；（3）回答问题。如果你发现一个人在应对你的问题时总是面露难色的话，那么十有八九他是个想从你那里套话的骗子。遇到想套话的骗子时，千万不要马上给出他想要的答案，我建议你赶紧后退一步，说："这个问题我需要一天的时间考虑一下。"即使对方再怎么紧咬着不放，你也千万要咬紧牙关，想办法尽快逃离。要知道，这只是"捕食者"运用的一项计谋而已。

任何一个人，当他被负面情绪笼罩的时候，都难免会露出不悦、不适的表情。人类千百年来的生存史已经充分证明和验证了这一点。通过观察一个人脸上露出的表情，我们可以判断出他肯定是发生了什么不愉快的事情。如果你的一个提问足以使一个人露出这种表情的话，那说明你运用非言语智慧的能力已经非常娴熟和自然了。同时，你还应该感到高兴的是，由于你自己对这门学问的灵活掌握与应用，它在你日常生活中将起到越来越大的作用。记住，无论在什么时间、什么地点，如果内心的声音已经告诉你某件事可能另有蹊跷，或是这件事情似乎好的有点令人难以置信的话，那么无论它外表看起来多么光鲜亮丽，也要告诉自己两个字：远离。

作为一名曾在 FBI 工作的资深警务人员和研究了非言语沟通技巧四十几年的专家，我对于如何识破别人在谈话中的谎言和欺骗可是颇有心得。有人觉得"识别"并不是一件困难的事情，正确率甚至能保证达到至少 95%。但实际上，要想达到这种水平几乎是很难很难的。从上面我们已经分析的种种事例中不难发现，即使是那些在这方面受过专业训练的人也难免会在判别工作上出错。事实上，真正揭穿谎言的概率对于那些训练有素的人而言也只能像投硬币一样，达到 50%。

即使是水平再高、再成功的 FBI 警务专员，也只能达到在 100 件案子中成功识破其中 60 件的水平。我们普通人，哪怕是专业的执法工作人员的谎言识破率最多也只能达到 50%。有谁会愿意被一个谎言识破率只有 50%，哪怕是 60% 的人去猜测、判断和检验呢？这毕竟是要冒一定的风险的啊。换作是你，你也不愿意。所以，这就是我们搞谎言和欺骗甄别工作中遇到的最关键的问题之一。

在 FBI 警务学校教书的那几年，我经常教导每一位学员要细心观察犯罪嫌疑人的各种行为，尤其要关注他的肢体动作或是脸部表情是否自然。因为正像我们前面的章节中已经讲到的那样，自然或非自然法则可以帮我们检测和察觉出很多的有用信息。

但是如果在和一个人的谈话或是对犯人的审讯中，将注意力过于集中在对方可能使用的诡计上，就容易顾此失彼，忽视了对方可能想要刻意隐藏、篡改、修饰，甚至是完全捏造的信息。正如我在前面一节中讲到过的那样，研究已经表明，人类几乎每一天都在说谎。比如说："告诉他们我不在家"或是"我在办公室的时候就已经把东西交给他了"等。人在说谎的时候有时甚至是不假思索的。正如一位作家曾经说过的那样："说谎已经成为了人在社会上生存不可或缺的一种工具。"尤其是对于作奸犯科的罪犯们来说，说谎话更可谓是家常便饭。

然而生活中并不是所有的谎言都应该受到谴责的，有时候人的谎言是善意的。比如说，一天晚上有一个丈夫悄悄溜出了家门，很晚才回来。妻子发现后大发雷霆，抱怨丈夫这几个月对自己和家庭都很不关心。于是便非要对丈夫刨根问底，问清他到底去了什么地方。丈夫结结巴巴地说是因为自己的车子在半路上出了问题。"鬼才相信你的话，这么俗的理由你也说得出口。"妻子厉声地说。三周以后，恰逢妻子的生日，丈夫终于拿出了那天晚上悄悄溜出家门特意为妻子选购的生日礼物送给她。况且在买礼物回家的路上，丈夫确实车子抛锚了。妻子得知事情的真相后，又惊又喜，对自己那天对丈夫的大发雷霆深感惭愧。事情的结局虽然圆满，但是我们依然要说，说谎是夫妻之间对彼此最大的不尊重，一旦在双方的心里留下了谎言的阴影，再想消散，就很难很难了。

有的时候，人之所以会撒谎是为了掩盖那些会使自己感到悲伤或是尴尬的事实。这样的谎言经常会发生在医生和病患之间。有些病患顾及面子，故意在医生面前隐藏自己的病史或者曾有过的行为经历，如性生活过于频繁或开放、吸烟史等。羞耻之心人皆有之，为了在他人心目中维持自己良好的形象并且不为他人所排斥，强大的羞耻心经常会驱使我们刻意在他人面前隐藏自己的伤痛和尴尬之事。我知道曾经有一位海军高级将领，就是因为当年曾经佩戴了本不属于自己的战斗英雄勋章的事情被别人揭发，他感到再也无颜面对周围人的谴责和嘲笑，最终选择了自杀。

人说谎往往是为自己曾经错误的行为遮丑。但其实过去的错误已经属于过去了，它不会对现在的你产生什么实质性的影响。人不能为过去而活，更不应该为过去的事情所羁绊。有些所谓的过错在换了一个环境之后，就称不上是什么不能原谅的错误了。就比如说，我们每个人在高中和大学期间做过的恶作剧或是其他违反校规校纪的事，当年不知道要被老师批评多少次呢。可是现在这些陈年往事，对于你已经不再有什么现实意义了。但就是因为人类都有虚荣感和羞耻心的缘故，这些往事依然会成为你心里最柔软、最怕被触碰的一部分。记得 1965 年，我曾经在一家便利店里偷拿了一个两美元的士兵玩具，直到今天我还为自己当初的行为感到后悔呢。

除非谁有先知先觉的能力，否则生活中我们每一个人都有可能被骗。正因如此，我们更有必要学会使用非言语智慧去判断和辨别生活中的种种谎言。毕竟当找出真相的希望非常渺茫的时候，没有几个人再会愿意花那么多的时间和精力寻根问底、追查真相，除非你的工作性质和内容规定了你必须要那么做。

## 如何识别工作中的谎言？

我一向建议在商场上打拼的朋友使用自然或非自然法则去挖掘和识别有用的信息，而不要单纯地将这项技巧作为企图对别人施加影响的工具。毕竟在商场上，谁能最先掌握信息，谁就已经成功了一半，利用自己锐利的观察和认真的倾听去发现对方行为中的破绽和不自然要比你绞尽脑汁地通过各种渠道确认对方是否在骗你来得简单、有效得多。

假设你是我手下的一名员工，周五的下午作为老板的我突然走进你的办公室对你说："市场部工作的汇报时间提前到了周一的下午。我知道现在才通知你时间很仓促，但是我真的很需要你这周日能够加班把所有需要的材料全部搞定。""哦，"你说道，"好的，我来做。""太好了，谢谢你！"我说。我对你微笑了一下，你也反过来给了我一个微笑，于是我便离开了，并对这个工作汇报的成功很有信心。

我的信心来源于哪里？来源于作为老板的我从员工的口中得到了信息的确认。但是如果换一种情况，我从你那里得到的不是痛快的回答，而是一系列表示犹豫的动作，比如你虽然很快应了我的话，但却马上转过头，咬着嘴唇，皱起眉毛，口气中不是坚决而是犹豫和迟疑，双唇紧闭，给我的微笑不是真诚的而只是礼貌性的回应的话，那恐怕我的心还是

FBI 教你破解身体语言
LOUDER THAN WORDS
白金
升级版

会悬在半空。前文中我们讲到过，真正发自内心的微笑应该是露出牙齿、眼角上扬的。

如果面对我的请求你做出的是这样的"回答"的话，那么我心里马上就会明白——对于我刚才的话，你并不乐于接受。但如果这个时候你能够在交谈中巧妙地运用非言语智慧的话，那恐怕双方沟通的内容和质量都会有很大改观：

我说："市场部工作的汇报时间提前到了周一的下午。我知道现在才通知你时间很仓促，但是我真的很需要你这周日能够加班把所有需要的材料全部搞定。"

你（眨眨眼，看着我，微皱眉）说："哦，好的，我可以来做。"

我说："那太好了，太感谢你了。不过你也要保证自己有充足的时间休息哦。咱们一起来商讨个时间吧。"

你（表示出稍许疑惑）说："要不我周六早上 10 点到下午 3 点过来上班吧，如果做不完的话我周一早上会早来一会儿，把剩下的工作完成。"

我（笑着）说："好的好的，谢谢你。"

你（也对我笑着）说："没问题，咱们一定能一起把它搞定！"

以上的这段对话既充分表达了你作为一名员工的要求，同时也充分体现了自己对工作和老板的认真负责。这段对话的含义其实是非常丰富的，双方都不仅仅在靠语言交流，同时还把恰当的非言语行为融入到了自己的表达当中。只有这种有效且针对性强的沟通方式才是我们所需要的，不仅如此，它对公司日常工作的处理也同样关键。

所以说，对于商务人士来讲，非言语智慧的关键不在于去探究对方是不是在说谎骗自己，而是对方的言行举止是不是能让我感到舒服、真诚、自然。如果不能的话，那首先要搞清楚不能的原因。搞清楚对方伪善甚至是伪装的原因要比搞清楚对方是否在欺骗、在撒谎本身更为重要。

### 看和听

非言语智慧当中有一条非常关键，那就是要注意观察对方动作和表情上瞬间的、突然性的变化。只要平心静气地认真观察，你会发现在与同事、客户或其他人的交往中，每个人的一言一行背后都有它的潜台词。以下列出的几条是在与他人的沟通过程中常见的"非自然表现"，如果你观察或是体会到一个人在跟你说话时有以下表现的话，那可就要特别留心了：

•眼部活动：包括眼睑紧张、快速眨眼、抚摸自己的眼睛或是眉毛。这些动作往往是在人接收到令自己不悦的信息之后马上就会做出的。正是因为人类终究还是难以摆脱边缘系统自然反应的影响，所以这些动作对人内心活动反应的真实性和可靠性是值得信赖的。

●下巴卷起（是缺乏自信的表现）、紧紧皱眉（是担心、紧张的表现）。

●咬嘴唇（代表焦虑），嘴唇收扁（代表负面情绪）、撇嘴（代表反对某种观点或说法），舔嘴唇、动舌头（代表自我安慰），呼气（代表释放压力）。

●整理衣服类的动作：如调整领带的位置、摸脖子、用手护住脖子、摆弄手表、项链或是耳环（都是自我安慰的表现）。

●摩擦或是交叉类动作（代表自我抚慰）：双手反复在大腿上揉搓、交叉双臂、手掌间摩擦、手指交叉。

●半耸肩、身体后倾、弯腰驼背。

●用双腿交叉的方式与你在空间上保持距离，脚部突然间做出轻抖动、向外踢的动作或是语言之间发生中断，这些动作都是动作发出者想要尽快结束对话的标志。

●语气中充满犹豫且缺乏变化。

●经常清嗓。

●回答问题时声音紧张得发抖，或是极其微弱。

在说谎者的身上是不是经常能看见这样的行为呢？答案是是的。当然，有的时候人并非有意要撒谎，处于紧张或压力状态下时，也可能会发生以上这些情况。比如开车的时候突然发现自己超速了或是没系安全带，就很有可能在自己的言谈话语中表现出以上这些行为。这就是为什么我专门要为读者列出上面这个清单，大家可以从中选取有用的信息进行对照，即使发现在与他人沟通中出现了非自然因素，也可以按照上面的分析找出背后的原因，然后有针对性地解决自己在与他人沟通中的问题。无论是在工作中还是家庭里，我们大家都可以仔细留心周围人是不是有上面提到的动作和表现。总之请一定要相信，人的内心活动一旦起了变化，肯定会首先反映在他的非言语动作上。

### 准确定位最关键的非言语信息

如何才能使自己的日常沟通变得更为高效？我建议你不妨试试以问一些开放式问题作为整个对话的开头，然后再顺着这些问题追问对方一些有意思的细节这一方法。我们都曾经历过这样的一种会议：所有与会者都坐在自己的座位上，听台上的人对自己工作中取得的进步和成绩大谈特谈。在这样的会议中，领导一般总是会询问下属各个项目进展的情况，自己在一边认真地倾听和观察。观察什么呢？倾听什么呢？老板要看在下属的陈述报告中是充满了兴奋和自信呢，还是犹豫、阻碍、害怕甚至是惊恐？只要领导者认为是后者的话，那么不管下属再说什么，他都会直觉性地认为项目的进程肯定没有预计中的那样顺利，一定是出现了什么问题或麻烦。

如果在某一次的交谈中你悄悄地在对方的举动中看到了"非自然"的动作或是表情，记住，先不要急于去处理，除非你已经非常确定自己要以什么样的方式去处理了。为什么要这样做呢？我想你首先需要做的是确认自己看到的现象是否属实。为了得到确认，你可以先故意回到刚刚你们谈到的话题上。假设你正在与一位供应商交谈，你说："我们非常高兴贵公司能在这个日期之前统一发货。"然后边说边观察对方的表情。如果这时你观察到对方微微眯了一下眼睛你可以顺着刚才的话题往下说，以便进一步确认自己的想法是否准确："顺便问一句，贵公司是否已经考虑好在这个日期之前发货可能遇到的所有问题呢？"这时，不妨再注意观察一下对方是否表现出了紧张的神情。因为理论上我们认为，如果一个人内心存在负面情绪的话，这种情绪就会在他的表情或行为上有较为持续性的表现，只要你注意观察，也许就在某个点，他就会把自己真实的想法透露给你。例如对方认为在这个日期发货可能会遇到一些问题，但又难以启齿，不好开口。但是反过来说，如果在你的再三确认下，对方依然可以斩钉截铁地回答你："放心，保证没有问题"的话，那对这件事情你就可以放心了。即使有小小的不确定，恐怕也是细枝末节、无伤大碍的问题，不必担心。

以上我们提到的这种方法既可以运用到和他人一对一的谈话中，也可以运用到几个人聚在一起的小组谈话中。只要假以时日，你就会发现，用非言语智慧去识别和理解周围的同事会和你揣摩自己熟悉的家人的心思一样得心应手。到那时你就会发现，每个人在你面前都好像一本书一样，总有着丰富的内容等待你去挖掘。

运用这个技巧还可以帮助你引导别人把他不敢说的话说出来 。"珍妮丝，杰弗森的项目进展的怎么样了?"你问。"哦，正在进行当中。"珍妮丝的语气中透露着些许伤感，她摸了摸前额，然后又突然灿烂地笑了起来："我们正在加油做这个案子。""那就太好了，"你回答，"遇到什么问题了吗（之所以这样追问是因为你已经察觉出了对方回答问题时态度明显是有所保留的，你希望她能敞开心扉，将真实的情况告诉你)?""事实上，"她终于承认了，"我们现在确实遇上了点问题，财务部门的预测报告出的太晚了，他们并没有按照规定的日期向我们递交预测结果，导致我们只能先自己从比尔提供的电子表格中提取数据。"她边说，语气中边透露出无可奈何的感情。"非常感谢你及时提醒了我财务部门在工作上的疏忽，如果你们需要进一步的数据的话，我可以马上叫比尔过来。""不，不，"珍妮丝回答道，"我们已经全部搞定了，就让比尔欠大家个人情吧。虽然时间比较紧迫，但是我们还是会在截止日期之前把所需完成的工作按时完成的（强调语气）。""太好了。要不我们周五的时候再一起核对一下信息怎么样？我得确保财务部门最终能把整套流程再审核一遍。""好的，没问题。谢谢。"她说。

从上面的事例中我们能得出什么结论？若是没有你的再三追问，恐怕员工怎么也不敢将实情原原本本地说出来。是因为你给了员工一个倾诉、抱怨、把问题澄清的机会，才最终使得财务部门出现的工作失误没有影响整个计划的顺利完成。所以说，多给员工一个充分表达、寻求帮助、发泄情绪的机会并不是一件坏事，这不仅能让你了解事情的实际进展，还能让你了解一位员工真实的工作能力。然而，所有这一切，若没有非言语智慧的帮助，都是不可能实现的。

**提出具体问题可以帮你得到更准确的答案**

正如上面的例子中所展现的那样，一旦你成功地让一个人愿意和你开口说话，并认真交谈，就要想方设法地提出越来越具体的问题，进而从他的口中得出更多自己需要的信息。这些信息也许是通过对方口头的回答而直接得到的，也可能是通过对方的举止行为间接得到的。假设我们是两个刚刚就某事达成了协议、共同期盼着美好未来的合作伙伴，众所周知，只要是商务合同，就一定会有一系列复杂的相关问题需要在展开合作之前，摆在桌面上共同协商、达成一致的。此时，你可以向对方问一些比较具体的问题，比如："顺便问一句，由贵公司的法律部门来策划这个方案有什么困难吗？"问题抛出之后，你应该马上注意对方会如何回答。然后继续说："执行人员呢？他们在处理这个问题的过程中会有什么需要帮忙的地方吗？工程人员呢？"根据对方的回答，你会逐渐感受到，法律部门的工作人员对工作的处理比较顺利，但是工程技术人员则不然。或是，计划本身并没有什么问题，只是法律部门在策划的过程中占用的时间过长，只给工程部门的同事留了一个星期来进行评估工作等。总之，通过询问一些具体的问题，你一定可以从对方的回答中得到更多、更丰富、更深层的信息。

就在前不久，我也是运用了提出具体问题的方法避免了一场误会的发生。一档节目邀请我做访谈嘉宾，节目组不仅想邀请我，还想请我帮忙找一些认识的朋友，今后也来这个节目做访谈嘉宾。但当最终我们要敲定邀请人选的时候，我问主办方："你知道我们邀请的嘉宾是哪位了吗？""嗯，我们已经接到通知了。"主办方答道。但是他的回答结结巴巴，让我感到疑虑。于是，我进一步追问道："既然你知道了，那在邀请这些嘉宾方面遇到了哪些问题吗？"主办方听我问这，边摸着脖子，边回答说："嘉宾入住的酒店现在提高了接待价格，每人的早餐费和午餐费涨到了100元。"

听了这话之后，我才终于明白了事情的真相：首先，我本以为全体工作人员的饭费是固定的，没想到是按人头计算的。其次，涨价后的饭费远远超出了主办方原有的计划。最后，如果主办方按照我想邀请的嘉宾名单确实把嘉宾邀请到了节目中来的话，那无疑是给我做足了面子，可这里面却要搭不少人情。所有这些，若不是因为多问了那么几句，也许我永远也不会知道。我至多也就是认为主办单位帮了我一个忙，但是我永远也不会知道这个忙有多大、彼此双方到底各自为此付出了多少，又得到了多少。如果我没有多问那么几句，也许至今还在为自己请来了几个嘉宾而感到骄傲。幸运的是，得知了一切之后，我们双方都比以前更加珍惜和尊重彼此间的合作关系了。

第九章　谁在说谎？

这一章讲了这么多例子，我最想表明的其实只有一点，那就是在商场上，非言语智慧的最大益处就是获取有用信息，而不是单纯地用它去判断信息的真假虚实，单纯地将自己变成一个测谎仪，那样做既浪费时间、消耗情感，又容易使自己变得多疑猜忌，是达不到什么好的效果的。

写到文章的最后，我又想起了本章开头时提到的"停车场缴费事件"。这个事情一直在提醒我，不管自己已经花了多少时间和精力在非言语智慧的研究上，都还是远远不够的。因为大千世界，人的情绪和生活的环境的种类是千变万化、各不相同的。我们永远也无法找到一个完全正确、永恒不变的公式去发现绝对的真理。但是无论如何，要想在商场上取得成功，最关键的就是要学会如何解决问题以及如何建立与提升和他人之间的互动关系。要想达到这些目标的话，非言语智慧是不可或缺的重要法宝。

# 后　记

几年前我给一个客户上私人课程的时候，他曾说，学习非言语交际和使用非言语智慧就像"给巨大的蓄水池放水，将那些以前藏匿着的，关于生活的知识全部释放了出来"。他现在已经能够自如地面对各种人和各种情况了，无论在什么时候总是能自信地说："是的，我对此很有信心，我知道我就要这么干。"然而几年前的他可还是面对困难相当怯懦的。社会环境和现代生活的快节奏压抑了我们探索自我世界的本能，迫使我们忽视了很多我们知道并本应去做的事。而成功人士做的，似乎正好与我们相反。

我经常问年轻的上班族这么一个问题："假设你是老板，你准备聘任或提拔哪种人？你会去聘用一个不可靠、懒惰、看上去从来办不成大事的人，还是会去选择一个努力工作、外表得体、对问题认识透彻并能够很好代表公司形象的人？"答案是显而易见的。但是当我继续追问："你如何获得这些品质"时，他们的分析就不尽如人意了。生活中，并不是外表光鲜、有教养、成绩优异或是拥有职业技能的人就能成功。我们都认识这样一些朋友，他们很聪明，可在事业上却总取得不到巨大的成绩；或是有一些人，他们十分出色，但是没人愿意和他们一起工作。相反，我们也认识一些谦卑的人，人们会为了他们不惜赴汤蹈火。这些人通过自己的努力克服了重重困难，并取得了最后的成功。他们成功地完成了从普通到优秀的飞跃。

成功人士之所以能够与众不同，是因为不论他们做什么，都能很出色地去完成。总体来说，他们名声显著是因为他们会运用非言语智慧来生活。他们善于洞察周围的环境，阅人准确，提前于别人预知事态。他们很清楚他们在用非言语的方式传递信息，这也成为了他们的一种优势。他们很少大惊小怪，因为他们总能发现别人所不能察觉的机会。他们谨记亚里士多德的名言："如果我们坚持不懈，那么追求完美就不再是一种行为，而成为了一种习惯。"

成功人士脱颖而出的原因在于，不论他们做什么事，都表现或传递着他们的态度、他们的能力、他们的果断、他们的言行、他们的敏锐和他们的自信。他们总在传递一种成功的信号：我，值得信赖，请对我完全放心。有的人总会说："相信我吧，"可这句话相对于一些能够用行动证明他们能够被信任的人来说，就显得空洞无力了。绝大多数人没意识到非言语交际的重要性，因为我们不是靠说来获得信任，而是通过言行举止来传递信任。一个人用什么样的方式去对待自己和他人，影响着他是否能够成功。

这本书从科学和艺术两大角度和大家分享非言语交际的学问。它并不只是肢体语言，它是有力交流的方式，能够为我们所学所用，并能够改变自我和影响他人。正如你所看到的那样，非言语智慧一旦被正确运用，会是十分有用的、有力的。这也是商业成功人士的奥秘和精华所在，他们每天都在重复做这样的事。

非言语智慧之美在于它伟大的公平性。它的力量来源于知识。你并不需要很有钱或是有高学历来获得它。人人都能获得非言语智慧，它通俗易懂，而又能使你与众不同。总之，非言语智慧就像良好的家教，掌握它并不能保证你一定成功，而忽视它肯定会使你实力大减。

通过正确的学习和使用，非言语智慧会使那些想要获得它，并且每日锻炼使用它的人得到提升。非言语智慧促进了人们的相互联系，使得我们的承诺更为有力，并使我们更积极地参与生活。因为我们对周围生活的了解更为清晰了，生活变得更有意义了。

我写作这本书的目的是想和大家分享如何运用非言语智

慧去更好地观察生活和更积极地面对生活。多样复杂的人类行为正是在人们对它们的理解和使用中变得更为有意义的。当我们通过这种方式来观察世界的时候，我们就能够发掘出自己和他人的智慧、美丽和潜能。我衷心地希望，你们能够更深刻地理解非言语智慧，并在读书、理解和工作中有意地运用它，并借此积极地影响他人。

　　感谢我的丈夫唐纳德，谢谢你美丽的插图，谢谢你耐心的聆听，谢谢你总能在最恰当的时候配上最合适的词汇，谢谢你美丽的心灵。感谢唐娜·蒙克，你的存在使得单调的早餐变成了温馨的回忆，孤单的散步变成了融洽的谈话，我们的想法总是不谋而合。感谢我的家人，感谢你们对我无尽的爱。感谢我们的主编马修·本杰明以及哈珀·柯林斯工作团队，感谢你们的关心和支持。最后，如果没有乔·纳瓦罗的信任，我没有机会写下这些文字。感谢你，乔，感谢你的知识、智慧、幽默和鼓励，以及你工作的乐趣。

东妮·斯艾拉·波茵特

纽约

2009 年 4 月

# 致　谢

　　每一个曾经尝试出书的人都知道，这实在不是一件容易的事情。然而和东妮·斯艾拉·波茵特一起合作确实使得这项工作变得十分快乐。我们曾一起出过一本叫《FBI 教你破解身体语言》的书，也是由此相识，当时她是那本书的主编。东妮十分干练，颇具职业道德，并且专业技能优秀。无论我俩身处在任何地方，旅馆的房间里、很慢的电梯内、酒店大堂、吵闹的饭馆还是中央公园长长的走道，或是干任何事情，比如长时间的电话面试、网络测评，东妮都是一个很好的工作伙伴。如果没有她的鼓励和她对我思想的总结成型，就不会有我的这本书。在这里我致以她最诚挚的谢意。

　　我同时还要感谢东妮的丈夫唐纳德·波茵特，感谢他用图画的方式来丰富我们的这部书。我想通过更为艺术的方式来表达非言语智慧的概念，这样读者们就能够更深切地体会非言语行为的细节。唐纳德准确地表达了它们，他的图画带领你透视以前所被你忽视的身体的每一个细节。比如说脸，他的图画甚至比照片更能表达深度和内涵。作为一个资深的纽约艺术家和教师，他的行程总是安排得满满的，我十分感谢他能抽出时间帮助我们出书。

同时，我还想对坦帕市大学麦当劳—凯尔斯图书馆的伊丽莎白·巴伦给予我最衷心的感谢，感谢她对我研究工作的无私帮助。她曾对我的四部书给予了帮助，这一次她又竭诚帮助我。不论问题多么晦涩难懂，她总可以解决。

圣里奥大学的阿什丽·诺斯又一次同意让我使用她的插图，在这里也很感谢她。

我同时想要感谢哈珀·柯林斯出版社的马修·本杰明编辑了此书。你们团队专业的技能使得这本书的出版成为了可能。这是我和哈珀·柯林斯出版社合作的第三本书，你们的专业水平和无私帮助总是无微不至，令我感动。

很多朋友都为我提供了很多建议，你们的建议我都谨记在心。最后，我最想感谢我的父母——艾伯特和玛丽安娜，是你们的身体力行教会了我善良的可贵。我的父母以及我自己的家庭帮助我塑造了我的世界观，增强了我的观察能力。我的女儿斯蒂芬妮，你是世上独一无二的。有你相伴的时候，我总能感受到无尽的快乐和喜悦。我想对我的家人说声谢谢。

我还想感谢我的妻子，她对我的工作给予了无限的支持和鼓励。她帮忙校对了我早期的手稿，作为面向欧洲和美国的销售主管，她以丰富的经验为我提供了很多宝贵的建议。

　　我的这部书是建立在前人研究的基础之上的，他们对非言语智慧这门学问做了最早的研究，并无私地与世界分享他们的研究成果。对于他们，我心存感激。本书将加深我们对日常生活中非言语交流的重要性的认识，这也是我写作本书的主要目的。如果这本书存在哪些缺点和纰漏的话，作为作者我全全承担。

乔·纳瓦罗

佛罗里达州　坦帕市

2009 年　4 月

致

谢